S0-CAO-121

知名皮膚科醫師教你正確保養肌膚

輕鬆美膚網醫師
陳衍良·賴碧芬*合著

【自序】

錯誤的保養，比不保養危險許多！

陳衍良

身爲一名皮膚科醫師，每天站在第一線處理上百名病患的皮膚問題，對「錯誤的保養，比不保養危險許多！」這句話，感觸特別深。以最基本的清潔來說，往往在最乾冷的冬季，卻有許多痘痘族還是用清潔力最強的洗臉產品一天洗很多次，洗得遍體鱗傷而上門求診；此外，更有許多人誤信因爲台北的空氣很髒，即使沒有上妝也需要用卸妝油卸妝，將自己從不長粉刺的臉帶入滿臉粉刺痘痘的險境。

會造成上面這些現象，主要是因爲現在的教育制度並沒有把皮膚的基礎保養列入，所以國人的皮膚保養知識多半是來自於銷售員或是以訛傳訛。而銷售員或是遭到置入性行銷的廣大媒體，主要的目的當然就往往只是爲了行銷數字，而非民眾的皮膚健康。

因此，許多從前的前輩醫師，爲了保護病人，往往採取所謂的「鎖國」政策。也就是與其保養錯誤，帶來一堆皮膚傷害，不如要求病人不要保養，以杜絕問題。

但是，這樣的對策雖然避免了一些問題，卻還是不夠積極。舉例來說，過去痘痘族求診，爲了避免患者自行選購防曬品時誤用會造成粉刺的產品，許多醫師的做法就是要求患者不需防曬。雖然這樣一定可以確保治療痘痘不會出現程咬金，但是長期下來卻也發現這些患者出現明顯的光老化，而且痘痘肆虐過皮膚所留下的黑色素沈澱，或是紅痘疤遲遲因爲不防曬而無法消退。

所以現代的皮膚醫學，需要更積極的態度，不但需要避免問題，更需要解決問題。以筆者跟內人賴醫師爲例，面對求診的病患，除了糾正患者錯誤的保養觀念和習慣，也會同時根據病人的需求提供最貼切的保養建議，基於皮膚科醫師對皮膚醫學和皮膚保養醫學的素養，及長期執業的臨床經驗，往往可以貼切病人個別的皮膚狀況，切重要點，不但解決病患原本皮膚的問題，也幫助病患創造更佳的皮膚狀況。這樣的做法不但頗獲病患好評，也形成國內皮膚科醫師一致的風潮。

可是這樣的建議畢竟僅止於門診病患，反觀廣大的非病患族群和無緣看診的病患，對這類正確保養知識有更迫切的需要。筆者跟賴醫師雖然已經架構了「輕鬆美膚網」來提供最即時正確的皮膚保養知識，但還是無法造福一些非網路族群。於是，本書誕生了！希望本書可以彌補門診及網路的「最後一哩」，讓國人的皮膚從此「完美無缺」！

【自序】

竭力推廣皮膚保養的正確知識

賴碧芬

繼去年獲得個人組衛生署優良醫療網站獎，今年「輕鬆美膚網」又獲得大型工作團隊組衛生署優良醫療網站獎，想想外子和我從事網路皮膚正確知識推廣工作已經將近十年，這其中還包括出了《輕輕鬆鬆戰痘成功》及《皮膚奧斯卡》兩本書，以及接受報章雜誌的訪談及邀稿。

值得欣喜的是，這幾年青春痘和皮膚疾病方面，民衆的正確知識的確進步不少；但是皮膚保養及美容知識上，則沒有多大的進展。因爲以前沒有人願意上網提供知識，現在許多商人看到這個市場，投入許多人力物力，卻製造更多錯誤的觀念，只爲了能達到足以傲人的銷售數字。雖然我們從事網路皮膚正確知識推廣近十年，但在皮膚美容方面並不覺有知識開花結果之感，這兩年反而覺得肩上的責任更重，因爲錯誤的知識比沒有知識更可怕，所以這一次在出版社的盛情邀約下，決定出版一本皮膚美容保養書籍。

面對化妝保養品銷售數字的不斷升高，對照國人皮膚保養正確知識的不完全，實在有點膽戰心驚。大家擁有的保養品號稱功能愈來愈多，療效愈來愈神奇，但是最重要的皮膚保養知識像是防晒，卻顯得殘破不全。要知道基本的防曬工作沒做好，再貴再好的保養品也沒有用。所以本書從最基本且重要的防晒介紹起，再談美白或是其他方面的需求；而且最重要的是美容保養正確知識的建立，保養品的推薦反而是其次。其實拋開那些爲了保養品行銷而宣稱的令人眼花撩亂的資訊，保養的正確知識絕對比你想像中簡單多了，而且保證受用無窮！這也是本書的訴求和最終極的目標。

最後，不能免俗的要謝謝許多人，謝謝台大皮膚科的同事和師長們，更要謝謝外子——陳衍良醫師，是他每日和我一同「練功」，鑽研皮膚保養祕笈，讓我們的知識能像「神雕俠侶」般的精進，也是他帶我進入「推廣皮膚正確知識」的殿堂，讓我體驗無怨無悔自助助人的美麗境界！

contents

自序　錯誤的保養，比不保養危險許多！　陳衍良　003
自序　竭力推廣皮膚保養的正確知識　賴碧芬　006

第一章　肌膚檢測篇　011
＊好好認識你的臉　012
＊你會洗臉嗎？　019

第二章　防晒篇　029
＊防晒，爲肌膚抗老之本　030
＊尋找你的最佳防晒乳　038
＊補擦防晒乳，學問大　052
＊運動族的抗日方針　058
＊熱帶旅遊的防晒大事　064
＊陰天，不用防晒？　071

*撐傘，省了防晒乳？ 076
*BABY，對紫外線免疫？ 082

第三章 護膚篇 089

*再見了，乾妹妹 090
*甩掉油面族 101
*搭飛機，順便做臉護膚 108
*我的毛細孔，看不見了?! 115
*沒化妝，也需要卸妝？ 124
*誰需要去角質？ 137
*面膜當眞多多益善？ 144
*走出美容商品的廣告迷霧 149

第四章 美白篇 155

*美白產品完全攻略版 156

contents

＊醫療通路保養品，一探究竟　167
＊雀斑姑娘的美麗與哀愁　175
＊拒絕再當「黃臉婆」　183
＊黑美人也能擁有白皙素顏　188
＊敷檸檬，敷出花貓臉？　193
＊醞釀一張好臉色　199
＊皮膚科醫師的私房美白術　211

第五章　抗痘篇　217

＊告別了青春，告別不了青春痘　218
＊終結痘痘，使出戰痘力　225
＊用橡皮擦擦掉粉刺？　235
＊痘痘藥藏有類固醇？　248
＊不讓歲月吻上你的臉　255
＊別讓錯誤的保養品，壞了你的臉色　264

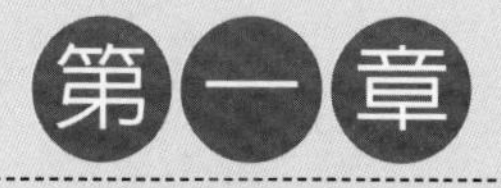

肌膚檢測篇

好好認識你的臉

剛洗玩臉的時候會乾乾癢癢的，但是，要不了多久臉上就又泛起油光，我的臉到底是屬於哪一種膚質呢？

洗臉前，先認識你的臉

「你是中性、油性、乾性，還是敏感性肌膚？」一提到肌膚分級，大家都會直覺聯想到美容保養品界頻頻宣揚的這四大分類法。只是，你的臉眞的能夠非此即彼地歸於這四個選項中嗎？而這個分類法是否確實考量了你的肌膚特性呢？

其實皮膚醫學界並沒有所謂的肌膚分類法，因爲每個人都是獨立的個體，狀況往往不盡相同。而經過多年的臨床觀察，皮膚科醫師發覺美容保養品界的四大分類法實在不敷應用目前的肌膚狀況，舉個簡單的例子，同樣是洗完臉半小時後就直冒油光，然而洗後有乾澀的不舒服感覺，以及洗完臉完全不緊繃，這兩種都算是油性肌膚嗎？都能用同樣的方式清潔保養嗎？

因此，爲了讓大家有些遵循的依據，我們將人體皮膚作了更細密的分類，首先區分爲正常肌膚和問題肌膚兩大類：

1.正常肌膚：肌膚很健康，出油狀況相當正常，保濕程度良好，自己覺得肌膚狀況很好，沒什麼需要改善的。

2.問題肌膚：肌膚出了些瑕疵，需要好好改善，例如，會乾、癢、痛，有黑斑，有細紋，毛孔粗大，痘痘等問題。

之後，再將這兩種肌膚各自做如下分類：

❶油性：不管何時何地，總是感覺自己的肌膚處於泛油狀態。儘管才剛剛

洗過臉，清爽的感覺持續不到十五至三十分鐘，只要撫著臉就不禁嘆一聲：「哎，又油了！」

❷外油內乾性：又稱缺水多油肌膚。剛洗完臉的時候，臉部有種乾澀、搔癢的不舒適感，嚴重者會有脫皮和刺痛的感覺。但是過了大約半小時，臉上竟然泛起了油膩。在臨床上，這種油性和外油內乾性肌膚最容易混淆，因爲很多人都只注意半小時或兩小時之後：「臉又油了」，就判定自己是油性，完全忽略了自己剛洗完臉時的乾澀感。

❸中性：洗完臉，沒有任何不舒服的感覺，清爽而不乾澀，潤滑而不油膩，呈現完美的中性膚質狀態。

❹乾性：洗完臉，肌膚會有乾澀的感覺，有時會出現微微的刺痛感。

❺超乾性：不只洗完臉後有乾燥感，幾乎一整天都感覺到肌膚的乾燥，此外，常常併隨搔癢、脫皮的狀況。

❻敏感性：一般來說，臉部狀況都相當OK，沒什麼大問題，但是只要一

接觸保養品和化妝品，就容易出現發紅、搔癢的情形。

哪種肌膚是痘痘的嫌疑犯

「臉上長了這麼多痘痘，我的臉一定是油性肌膚吧！」在門診中，常常聽到患者對自己的臉，下了這樣的評語。

事實上，錯。

纏人的痘痘問題，是任何肌膚都會出現的狀況，中性肌膚也可能是痘痘臉的嫌疑犯，雀斑也可能出現在油性肌膚上，中性和乾性肌膚也可能出現毛孔粗大的問題……千萬不要一看見痘痘，就對肌膚妄下斷語：「是的，我是油性肌膚，我要用超強力的去油、去角質保養品，好好對付油問題」。

常常碰見許多痘痘族，自以爲肌膚的油分超多，從早到晚拚命洗臉，直到臉上紅腫脫皮了仍不罷休，非要看到痘痘偃旗息鼓不可。也曾經看過缺水多油肌膚的人，明明洗完臉後肌膚有些緊繃，卻因為肌膚過了數十分鐘就冒油了，便一直認定自己是油性，又因為嫉油如仇，索性用去油、去污力超強的水晶肥皂來頻頻洗臉，結果痘痘的問題還沒解決，臉上已經出現濕疹、乾癢痛的問題，脫皮狀況相當嚴重，最後甚至產生蜂窩性組織炎。

錯認了膚質，錯用了保養品，你的臉怎麼美的起來？

唯有好好認識你的臉，才能給肌膚最正確的呵護，否則你給肌膚的關愛卻可能是沈重的傷害！

它，悄悄影響你的臉

誰會影響肌膚的油與乾，誰是讓你變臉的幕後推手？

＊年齡

隨著年齡增長，肌膚的保水性也漸漸變差了，顯得乾燥、無光澤。一般來說，肌膚會在二十至二十五歲時開始老化，皮膚愈白皙，肌膚愈早老化，白種人的最佳肌膚狀態是在青春期，一到二十歲，肌膚就開始出現小瑕疵；黃種人的肌膚約從二十五歲開始老化，黑色人種的肌膚自三十歲開始老化。

＊季節

肌膚的保水性及出油狀況深受環境的影響，例如季節、溫度和濕度。在乾冷的環境裡，肌膚的保水性變差，顯得乾燥而暗沈。

年齡和季節是使肌膚變臉的兩大幕後黑手，讓你的肌膚隨著一季一季、一歲一歲而略微出現變化。

幼童和年輕人的肌膚對季節感受並不強烈，但是仍然會有些微的變化。咱們東方人從二十五歲開始，年齡會對肌膚施予壓力、助長肌膚的敏感性，一旦溫度和濕度略爲改變，肌膚會立刻反應，我們因此可以明確感覺到自己的皮膚隨著四季更替也「換季」了。

輕鬆美膚術

花點心思觀察，你的臉屬於哪一種膚質：

膚質	剛洗完臉的感覺	洗後半小時的感覺
油性	不緊繃，不乾澀	直冒油光每隔幾十分鐘就覺得臉部油油黏黏的
缺水多油（外油內乾）	緊繃，些微刺癢感偶有脫皮脫屑的狀況	很難上妝，容易浮妝。如果洗面乳挑選得當，睡前也許仍不覺臉部有油光，但是起床後深覺整張臉油油的
中性	不乾、不澀、不油、不膩	感覺仍然相當清新舒服
乾性	乾燥的不舒服感	只要擦對乳液，肌膚就能保持潤澤
極乾性	非常乾燥，常有脫皮狀況	儘管認真勤擦乳液，一整天仍感覺肌膚緊繃
敏感性	常有發紅、癢、刺痛感	一旦用錯保養品，過敏情況就更嚴重了

你會洗臉嗎？

為了對付三不五時冒出來的痘痘，我堅持使用強力去油的洗面乳。為什麼堅持的結果，卻是得到一張兩頰脫皮、鼻尖和下巴猛長痘痘的臉？

你給肌膚的是疼愛，還是傷害？

他一直深信自己是油性肌膚。

換了這麼多市面上的洗臉產品，他唯一不變的是，堅持使用強效去油、去角質的油性肌膚洗面乳。

即使臉部本來就沒泛什麼油光，即使洗出了一張發紅、搔癢又脫皮的臉，他還是堅持使用超強去油的洗面乳。只因爲，他的臉還是直冒粉刺和痘痘，他深信洗臉後一定要呈現肌膚的緊繃感，否則就會擔心自己明天可能又要長痘痘了……

在門診中，我不斷提醒他「油分和痘痘並非絕對相關，就算是乾性肌膚也會長痘痘，必須使用溫和洗面乳才能改善臉部的發紅脫皮狀況。」但是每當臉部狀況略微改善，他又故態復萌，重新拿出強力洗面乳認眞搓揉臉部起來，我總是遺憾著：「此刻的肌膚就像是大病初癒的人，怎麼能要求一個剛康復的人就跑起五千公尺來，你的肌膚需要一段過渡恢復期。」

每當臉部脫皮時，粉刺就顯得特別清楚，他也就更認眞的用超強去油洗面乳，想要藉此消滅粉刺。當然，那些日子以來，他的粉刺並沒有因而少了幾顆，倒是臉上發紅、發癢、脫皮等狀況不斷，當我勸說時，他還大聲堅持：「你可不可以不要管我怎麼洗臉，用什麼洗臉，只要幫我把粉刺和痘痘治好就行了。」

直到那一天，我耳提面命告訴他：「長粉刺和痘痘的原因不在於你臉上的油，而在於你的心！」他才終於願意相信：「雖然我長痘痘，但是我是乾性臉，應該使用溫和洗面乳。」

治療中，他仍然念念不忘臉上的粉刺和痘痘，「醫師，可是我的粉刺還沒好。」，我只能提醒他唯有根除錯誤的洗臉方式，滅除粉刺才有希望。果然，幾個月之後，他開始得到了別人的讚美：「你的臉沒那麼紅了。」，這時，也就是他的粉刺好了泰半的時刻。

當你帶著錯誤的洗臉觀念，永遠都無法從醫師那兒得到徹底的美顏方法，不過是一家換一家的猛逛皮膚科診所。

你永遠無法爲臉找到美麗的答案，除非先卸除了心防，放下了你對自己的預設立場。

九十%的台灣人不會洗臉?!

是的，台灣有九十%的人不會洗臉。

因爲，洗太多了！

多數人的洗臉問題，並不是洗臉次數太少了，而是洗得太勤、太過度了，頻繁使用去油、去角質洗臉產品的後果，只是讓皮膚更加乾燥、黯淡、無光采！

常見的錯誤洗臉態度，不外乎以下幾種狀況：

1. 明明只擦蜜粉，或是塗一層潤色防曬乳，卻堅持在使用卸妝乳之後，還要用一般洗面乳清潔肌膚。

2. 不只要把臉洗乾淨，還要給肌膚清新、舒爽的感覺，因此使用了內含酒精和水楊酸的收斂化妝水。

3. 儘管是中性或乾性肌膚，也堅持用強效去油洗面乳來對抗痘痘，面對醫師的建議，仍然堅持著：「醫師，你就不用管這個了，臉上發紅、變乾都沒關係，脫皮也無妨，我只要痘痘不見就可以了。」

油分不等於保濕性，冒油光的臉並不意味著肌膚含有飽滿的水分。許多人在錯誤洗臉之後，不過是得到一張乾燥脫皮、油光卻一點兒都沒少的臉，不僅破壞美觀，更加速肌膚老化！

其實，只要用了正確的溫和洗面乳，紅、癢、刺、痛的不舒適感就可以在一、兩週內明顯改善，讓臉部漸漸達到「油水平衡」。

洗臉產品大究極

要去油、去角質，更要美白，如果有磨砂顆粒更能產生洗臉的快感……這就是你對洗臉產品的要求？

只給清潔，不給傷害，想要好好洗對臉，請把握以下原則：

＊洗臉產品單純化

市售的洗臉產品大多強調多重功能，然而，洗臉產品在臉上停留的時間其實相當短，能發揮的效果並不大，過多的功能只會對肌膚造成刺激性傷害，例如，脂漏性皮膚炎的人如果使用潔顏布，容易造成粗糙脫皮的狀況。讓洗臉產品回歸本質，「溫和，簡單，具有足夠的清潔力就好了。」

＊搞清楚產品定位

購買醫療產品時，只要認清產品標示就可以了解這項產品的定位，因爲它的標示完完全全恰如產品成分所示，不會出現名不符實的問題。

如果你想選擇一般市售品牌的洗面乳，只要觀察產品訴求對象中「去油力最強」的類別，再對照自己的膚質狀況，就能找到正確的那一瓶，避免在美麗的產品包裝行列中，錯認了產品定位：

1. 標榜油性、中性和敏感肌膚都可使用：適合油性肌膚。

2.標榜中性和敏感肌膚都可使用：適合中性肌膚。
3.標榜中性和乾性肌膚都可使用：適合中性肌膚。
4.標榜乾性和敏感肌膚都可使用：適合乾性和敏感肌膚。

＊認清產品內容物

購買市售產品時，大多有產品成分和濃度標示不清的問題，讓人搞不清楚到底哪一瓶才適合自己。常見狀況如下：

1.市面上標榜「治療痘痘」的洗面乳，並不是所有痘痘族都適用，通常都是油性肌膚限用，乾性和中性肌膚的痘痘族們使用後會有肌膚愈洗愈乾、痘痘卻依然故我的窘境。

2.就算產品標榜中性、PH值或是全天然成分，也不代表所有人都可以適用，必須同時觀察產品的其他成分。舉個例子，市面上有許多號稱純天然成分的產品，例如蘆薈，但是請小心，目前醫學上證明蘆薈並沒有清潔的效果，必須添加其他化學成分，使用時必須斟酌自己是否適用。

3.廠商有時會針對產品的某樣成分猛打廣告，卻隻字未提包含的其他成分，也未說明添加的比例，容易誤導消費者的選購方向，也許產品號稱的添加物只占全比例的一小部分呢！

挑選洗面乳的不敗法

洗對臉，肌膚保養做好一大半！

洗臉是保養肌膚的根本，洗對臉的不二法門就是「溫和不刺激」。過度刺激肌膚只會讓臉保不住水分，遑論塗抹再多的保養品都是惘然。

＊挑選洗面乳的不敗法則：溫和至上

溫和的洗面乳不僅安全無虞、一年四季都可用，而且也不會對臉造成負擔。使用過度刺激的洗面乳，肌膚很容易在換季時拉警報。

使用溫和洗面乳時，只要針對肌膚在四季更迭時的變化，略作機動性的調整就很完美了，例如：

1.搭配保養品：夏季時，洗完臉後容易有冒油的情形，可以搭配使用標榜清新、爽膚、收斂的化妝水；冬季時，洗完臉後感覺乾澀，可以搭配使用保濕乳液或保濕凝膠。

2.更換洗面乳：夏季時，使用加強去油的洗面乳，可以抑制出油，但是如果使用後有刺、乾和緊繃的感覺，請馬上換回溫和洗面乳。冬季時，放下強效洗面乳，使用溫和不刺激的洗面乳，千萬不要以強效洗面乳搭配油膩厚重的乳液。

美顏洗臉 easy 術

用溫和的洗面乳清潔臉龐，用溫和的態度清洗你的臉，只要把握以下五個步驟，就是正確的洗臉方式！

1.使用不燙也不冰的清水，水溫不超過攝氏二十五度。

2.將洗面乳在手掌心上搓揉成泡沫狀。
3.用指腹在臉上塗抹呈泡沫狀的洗面乳。
4.用手掬水，把臉沖洗乾淨。
5.用衛生紙或乾毛巾，將臉上的水滴輕輕壓乾。

請注意：

千萬別以爲用力搓臉，就可以把粉刺推磨出來，太過使力的洗臉方式就像是物理性的去角質，對於乾性、極乾性肌膚而言，只會讓肌膚更加乾燥；對於缺水多油型、敏感肌膚來說，過度去角質只會讓肌膚更脆弱敏感；對於痘痘族來說，過度的摩擦患部只會讓痘痘狀況更形惡化；唯有油性、中性肌膚可以接受適量的搓揉式洗顏法。

第二章 防晒篇

防晒，為肌膚抗老之本

因為怕老，擦精華液、抹乳液，每天敷面膜，如此一來，就可以讓臉徹底拒絕歲月的吻痕？

黑斑滿臉、膚觸粗糙、臉色臘黃、皮膚鬆垮、皺紋攀滿臉……誰不怕這副老相？

人，爲什麼會老？

這個問題困住了萬萬千千、古今中外的男女，許多人不斷掏出大把金錢、追逐一個又一個價格不菲的美容保養品，就是爲了解開這個疑惑。

在門診中，我曾經碰過不少例子，他們投資在保養品的金錢著實令人嘆爲觀止。對他們來說，每個月購買保養品的金額全無上限，唯一的目的是：美，還要更美；老？絕對不許。

儘管如此，他們還是帶著滿臉的問號：「爲什麼，我每週敷四次面膜，早上擦日霜，晚間抹夜霜，早晚再加上一道美白乳液手續，睡前勤奮地塗上整臉的精華液。但，爲什麼我還是不能鎖住時間，細紋還是一條條往臉上冒？」

紫外線催人老

一般說來，皮膚老化的原因可由內在與外在兩大原因來探討：「內因型老化」、「外因型老化」。

時間是一毫不留情的沙漏，隨著時間一分一秒的流逝，體內細胞在不停的運作中，逐漸緩慢、遲滯，直到報廢的那一日。這種不可避免的衰老過程就是「內因型老化」，無論你是王親貴族還是凡夫俗子都無法違抗這個時鐘效應。

外因型老化則是由我們的不良生活習慣和環境因子所造成，例如，抽菸、喝酒、熬夜等等。

也就是說，不管在任何環境，只要會導致皮膚產生發炎的反應，就會促使肌膚老化。無論是肉眼看得到的皮膚發紅發腫，或是肉眼看不到必須藉由顯微鏡才能觀察到的傷害，都會在人體內產生破壞性的自由基，導致肌膚老化。

1.肉眼可見的傷害，例如，發炎、急性晒傷。

2.肉眼見不到的傷害，例如，紫外線、抽菸、喝酒、壓力、熬夜、皮膚保養不當、紫外線及空氣污染等等。

許多人都以爲內在因素——「時間」，正是青春的頭號殺手、皮膚老化的主因，事實上，絕大多數的傷害（八十五%）都來自於外在。愈是看不見、摸不著的隱性傷害，對肌膚造成的殺傷力愈大！如果要全面抗老，就必須「內外兼修」：

1.內在：好好控制飲食，擁有規律的睡眠，平衡身心壓力。

2.外在：積極、良好、循序漸近的呵護皮膚。

皮膚的外在傷害以日晒、不適當的照顧皮膚（例如過度刺激、讓肌膚過於乾燥）爲主。其中，又以紫外線的傷害最大。

不要懷疑，紫外線催人老！紫外線A光對皮膚所造成的傷害，簡單說，就是「老化」。只要比較一下自己臉部肌膚跟大腿內側皮膚的差異，你會驚覺自己大腿內側的皮膚彷如初生嬰兒般的無瑕細白，而臉部肌膚則暗沈、斑點、毛孔粗大、乾燥、布滿細紋……問題重重，這正是照射紫外線與否的明顯對比。

想要延緩老化，除了防晒，還是防晒。

小龍女的古墓養顏祕笈

關於防晒的重要性，我常常會在門診中和大家分享楊過和小龍女這對神雕俠侶的故事。

這段愛情故事固然淒美如詩，但是如果各位金庸迷仔細想想，這一段刻骨銘心的姐弟戀是不是破綻重重？畢竟無論小龍女有多美，終究逃不過時間的摧殘，以她的年紀都可以當楊過的姑姑了，早該在楊過三十而立的時候，就有如昨日黃花、皺紋黑斑長滿整張臉，但為何楊過始終沒有背棄小龍女？

答案很簡單，因為小龍女長年蝸居在古墓裡，從未經歷紫外線的考驗。

雖然這只是個趣談，但是從武俠小說裡走出來的小龍女卻是「防曬抗老」的最佳代言人，證實了「古墓養顏」的古法駐顏祕技：

＊小龍女把握防曬的黃金時段

根據研究，一個人在二十歲時就已經曝曬了這一輩子所會照射的紫外線總量的七十五％，換句話說，如果我們在二十歲之後才想到防曬這檔事，也只能為剩下的二十五％做努力！小龍女隱身古墓中的這二十年青春時光，正好是防曬的黃金時期，當她踏出古墓的時候，皮膚當然就跟小ＢＡＢＹ一樣的幼白滑嫩！

＊掌握日新月異的防晒科技產品

穿透力極強的紫外線A光是臉上皺紋的主因，足以破壞人體真皮中的膠原蛋白，讓臉部失去彈性、皺紋橫生。在這些對我們苦苦相逼的陽光之中，紫外線A光的劑量是紫外線B光的三十倍，但是我們過去使用的防晒乳液，化學性防晒成分只對B光產生效果，對於A光則是幾乎沒輒，因此只能預防B光所帶來的暫時性皮膚發紅晒傷，完全無法阻止A光在皮膚內所惹出的深層老化問題。拜科技所賜，科學家在這一、兩年來陸續發現了Parsol 1789、Mexoryl XL®、Tinosorb M®、Z-cote®等成分，讓我們的防晒品有效隔離紫外線A光。

＊比防晒乳更重要的事

防晒乳不是萬能！無論多麼有效的防晒品還是要搭配陽傘、太陽眼鏡、長袖衣褲等實體遮蔽物，才能達到百分之百的防晒效果。當然，並不是每天出門都得這樣如臨大敵，只要參考紫外線指數，針對陽光中紫外線強弱作出正確的防晒措施，就可以輕鬆做好防晒。

「這十年來，我明明每天都很認眞地擦防晒乳液，爲什麼皺紋還是洩漏了我的年齡？」如果你的心裡也有這樣的抗議，請重新檢視自己的防晒抗日行爲是否恰當合宜。

想讓歲月只增長妳的智慧，不增加妳的皺紋？正確防晒，一切OK！

輕鬆美膚術

選對保濕乳液，作好肌膚保濕

1.杜克（Skin Ceuticals）加強防晒霜 SPF30

以二項獨家專利技術：經過處理的透明超微粒氧化鋅、包被型鋅，而取勝！顆粒細緻、低過敏性，強化紫外線防護，真正提供肌膚大範圍的完全保護，可以單獨塗抹，或在化妝前作為隔離霜使用。

2.雅漾（Avène）清爽防晒霜 SPF20

內含南瓜素，可以有效調節油脂分泌，質地清爽，不會造成一般防晒乳的黏膩感，就算是青春痘肌膚、敏感肌膚，也能感覺清透無負擔。

3.理膚寶水（La Roche-Posay）全護清爽防晒露 SPF20

採用全新 Mexoryl®XL 紫外線防禦系統，非常適合一般日常使用。質地相當獨特，塗抹在臉上後，乳液立即變成清爽水露，不造成油膩。

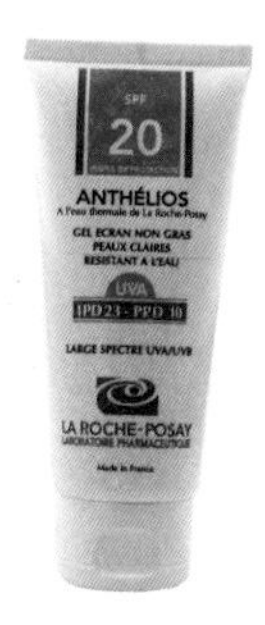

尋找你的最佳防晒乳

為了達到最佳的全面防晒效果，我決定撒下大筆銀子，重金採買高貴又高價、號稱防禦效果最好的防晒乳……

高溫喚醒人們對防晒品的注意，熱夏一到，大家才會醒悟：「擦防晒乳的季節到了！」

但是市面上琳瑯滿目的防晒品，紛紛主打不同的訴求：號稱日夜和四季都必須分產品使用的防晒乳，標榜全天然成分、不會造成油膩感，強調防晒兼具美白效果的防晒乳……令人眼花撩亂、完全失去了方向，有些人索性挑一款號稱係數最高的防晒乳就走，以爲自己握有了對抗紫外線的尙方寶劍，結果過了一夏才驚覺「我怎麼還是變黑了」，或者是「雖然保住了皮膚的白皙，整張臉卻長滿了痘仔」。

究竟，誰才是你的最佳防晒乳？

全面，清爽，不致粉刺

在門診中常常見到許多人千辛萬苦上網掛個號，才剛走入診療室便忙不迭地掏出好多種類的防晒品的動人文宣，希望我能幫他鑑定防晒品的品質優劣，省得他多花了冤枉錢。

其實，想要選對防晒乳，除了「嚴選品質」，更要「適合自己」！例如，痘痘常常不定期拜訪的人必須選擇清爽度高、無負擔的防晒乳，有化妝習慣的人可以挑選有潤色效果的防晒粉餅。

台灣的四季潮濕又悶熱，選購防晒品時必須先把持三大原則：

1. 防護力要全面、足夠。

2. 質地清爽，不油膩。

3. 不具致粉刺性！

認識膚色，選對防曬乳

首先，先瞧瞧自己的膚色是偏黑、偏黃，還是白皙？

膚色愈淺的人，所需的防曬係數愈高，根據膚色挑選防曬乳才能爲肌膚提供最佳的抗日效果。尤其如果你使用的是潤色效果的防曬乳，更要仔細辨識膚色、認眞挑對防曬乳，才不會讓臉部和頸部的膚色相差太多，惹人笑話！

國際上對於人類膚色依據曬傷或曬黑的容易度，區分爲六種類型：

等級	肌膚特色	平日防曬係數	戶外活動防曬係數
1.	只會曬傷，從不曬黑的**嫩白**膚色	至少15	25—30
2.	容易曬傷，稍微曬黑的**偏白**膚色	12—15	25—30
3.	偶爾曬傷，明顯曬黑的**偏黃**膚色	8—10	15
4.	不易曬傷，明顯曬黑的**黃色**膚色	6—8	15
5.	幾乎不曬傷的**褐色**膚色	6—8	15
6.	從不曬傷的**黑色**膚色	6—8	15

我們東方人的膚色通常屬於第三或第四類。如果待在戶外的時間超過兩小時，就應該使用戶外專用防曬乳。許多上班族往往忽略了外出吃午餐的時間，正是太陽最毒辣的時刻，唯有戶外專用的防曬乳才能提供最完備的防曬保護。

爲了徹底防護紫外線A光（UVA）和B光（UVB），防晒係數有二種主要衡量方法：

1.PA值（Protection for Grade of UVA，即防止UVA的標準）

想要抵禦紫外線A光的強力放射，請先看看手上這罐防晒乳的PA值。PA值主要分爲三級：+、++、+++，+號愈多，防禦紫外線A光的能力愈強，以咱們黃皮膚的東方人爲例，++以上的PA值才能給我們最好的防護。

另外，還有PPD、IPD等等衡量紫外線A光的標準。

UVA防晒等級	UVA防晒係數	防晒效果
PA+	2~4	對於UVA，具有防護力
PA++	4~8	對於UVA，具有不錯的防護力
PA+++	大於8	對於UVA，具有最優的防護力

2.SPF

想要對付紫外線B光，請先確認SPF值。SPF防晒係數（Sun Protection Factor縮寫）是針對UVB紫外線B光所設計的衡量標準。要了解SPF前，必須先認識「MED」。

MED皮膚最低致紅劑量（Minimal Erythema Dose縮寫）是指皮膚在接受紫外線B照射後，開始產生微紅時的劑量，這個劑量是因人而異的。例如，受試者的皮膚在使用防晒乳前，只要曝晒十分鐘的太陽就會晒紅，而使用防晒品之後需要一百五十分鐘皮膚才會再次晒紅，表示使用防晒乳的前後MED增加了十五倍。這個倍數就是指這件防晒產品的SPF值。

防晒乳液大究極

撇開美白、保濕等附加價值，防晒乳液最重要的仍然是它的有效主成分

（也就是防晒劑）和基劑（用來溶解這些主成分的物質）。

＊有效主成分（防晒劑）

你的防晒乳可以隔絕哪一種紫外線？是針對紫外線A光還是B光？你的最佳防晒乳一定要能同時阻隔這兩種紫外線。想要拒絕紫外線毒吻你的臉，請辨識防晒乳是否含有下列成分：

1. 常見的化學性防晒成分：

所謂化學性防晒成分，是指皮膚吸收了防晒品中的有效化學成分之後，與紫外線產生交互作用並轉變爲一股無害的能量。爲了讓皮膚好好吸收這些成分，必須要塗抹十五至三十分鐘之後才能開始發揮作用。

· Octyl dimethyl PABA（Padimate-O）：阻隔UVB。

· Octocrylene：阻隔UVB。

· PABA（para-aminobenzoic acid）：阻隔UVB。常併發過敏反應。

· OMC（Octyl methoxycinnamate）：阻隔UVB。全世界最被廣爲採用

的化學防曬成分。

・Octyl salicylate：單獨使用時是微弱的UVB阻隔劑。通常會搭配其他成分，以加強防曬效果。

・Oxybenzone（benzophenone-3）：阻隔UVA。偶見過敏反應。

・Avobenzone（Parsol 1789）：阻隔UVA。常與 benzophenone-3 並用。

・Mexoryl SX：阻隔短波長部分的UVA。

・Mexoryl XL：阻隔UVA和UVB。

・Tinosorb.M®：阻隔UVA和UVB。

2.常見的物理性防曬成分：

所謂物理性防曬成分，是利用防曬品中的粒子直接阻擋、反射或散射掉紫外線。

・Titanium dioxide（二氧化鈦）：阻隔UVB和部分的UVA，但是對波長較長的UVA無法提供完全的防護。如果要達到較高的SPF防曬係數，就得擦上厚厚一層，臉上不免顯得有種詭異的「蒼白感」。

・Zinc oxide（氧化鋅）：幾乎阻隔掉所有波長的UVA和UVB。但是因爲塗起來會白白且黏黏厚厚的一層，因此實用性不高。

・Z-Cote：目前發展出粒子最小的氧化鋅分子，塗在皮膚上感覺很清透，對於所有波長的UVA和UVB都有不錯的防護度。

・Hypoallergenic（低敏感性）：產品中盡量避免採用容易導致過敏的化學防晒成分，敏感性肌膚或小孩子

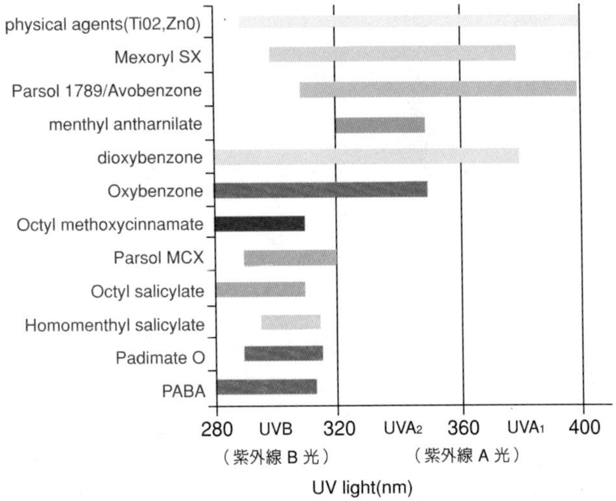

圖表顯示各種防晒劑可以對抗的紫外線波長範圍

使用防晒乳時，最好選擇有這項標示的產品。

・Noncomedogenic（不會造成粉刺）：防晒品所含的主要成分和基劑不會造成粉刺，特別適合油性肌膚和容易冒粉刺痘痘的人。

・Sweatproof（抗汗）：塗抹之後，防晒乳會附著在皮膚上，就算是塗抹在眼睛四周，防晒乳也不會因爲流汗而流進眼睛產生刺激感。特別適合從事陸上運動時使用。

・Water proof（防水）：防晒品在下水後八十分鐘內，仍然有極佳的防晒效果。適合游泳或是水上活動時使用。

・Water resistant（抗水）：防晒品在下水後四十分鐘內，依然保有防晒效果。一旦超過時間，應該立即補擦防晒乳。

防晒乳液中的致痘元凶

「你爲什麼不擦防晒乳？」我常常在門診中碰到一些人，每次出門必定全身備有完整的抗日道具：長袖衣服、戴帽子、打傘，但是如果詢問他使用哪一種防晒乳，才驚覺：什麼，他竟然一整天都完全不擦抹任何防晒乳！

「沒辦法呀，防晒乳這麼油膩，我的臉長滿痘子已經很辛苦了，我寧願晒黑也不要再長青春痘」，他們說得理直氣壯，我卻聽得非常心疼。事實上，防晒乳實在背負了太多莫須有的罪名，許多人以爲防晒乳中的主要防晒劑成分會因爲太過油膩而引起痘痘，但是根據實驗證明：「防晒劑成分並不會引起痘痘，是溶解防晒劑的『基劑』才會導致痘痘生長。」

選購時應該在成分（Ingredients）一欄，核對看看是否有 Comedogenic 致粉刺成分，並且要有成分、濃度、測試報告，才能確保防晒乳眞的不會導致粉刺。遺憾的是，部分化妝品廠商並不會依法公布防晒乳的所有眞實成分，大家只好藉著實際塗抹、觀察膚觸是否有油膩感，以作爲辨識。

爲了力求省事方便，有些人索性選擇含有清新因子、不油膩配方的清透防曬乳，打算一年四季早晚當作保養乳液來使用。要特別注意的是，這類清透防曬乳的保養成分比較低，在乾冷天氣或是夜晚時必須搭配其他的保養乳液，否則肌膚會有乾燥脫屑的狀況。

選對了屬於你的最佳防曬乳，肌膚的保養大計就完成了一大半。

你，選對了嗎？

檢視防晒產品，是否有下列導致粉刺生成的成分：

Common Comedogenic Ingredients	
Highly Comedogenic (4-5/5 or 5/3)	Linseed Oil Olive Oil Cocoa Butter Oleic Acid Coal Tar Isopropyl Isostearate Squalene Isopropyl Myristate Myristyl Myristate Acetylated Lanolin Isopropyl Palmitate Isopropyl Linoleate Oleyl Alcohol Octyl Palmitate Isostearic Acid Myreth 3 Myristate Butyl Stearate Lanolic Acid
Moderately Comedogenic (3-4/5 or 2/3)	Decyl Oleate Sorbitan Oleate Myristyl Lactate Coconut Oil Grape Seed Oil Sesame Oil Hexylene Glycol Tocopherol Isostearyl Neopentanoate Most D & C Red Pigments Octyldodecanol Peanut Oil Lauric Acid Mink Oil

檢視防晒產品，是否有下列導致粉刺生成的成分：

Common Comedogenic Ingredients	
Mildly Comedogenic （2-3/5 or 1/3 ，如果是低濃度，一般不會產生問題）	Corn Oil Safflower Oil Lauryl Alcohol Lanolin Alcohol Glyceryl Stearate Lanolin Sunflower Oil Avocado Oil Mineral Oil
不致粉刺成分： Noncomedogenic	Glycerin Squalane Sorbitol Sodium PCA Zinc Stearate Octyldodecyl Stearate SD Alcohol Propylene Glycol Allantoin Panthenol Water Iron Oxides Dimethicone Cyclomethicone Polysorbates Cetyl Palmitate Propylene Glycol Dicaprate/Dicaprylate Jojoba Oil Isopropyl Alcohol Sodium Hyaluronate Octylmethoxycinnimate Oxybenzone Petrolatum Butylene Glycol Tridecyl Stearate Tridecyl Trimellitate Octyldodecyl Stearoyl Stearate Phenyl Trimethicone

補擦防晒乳，學問大

我當然知道要勤快補擦防晒乳，問題是，好不容易化好的妝，豈不全糊了？

誰需要補擦防晒乳

防晒乳不是萬靈丹，不能一擦見效，更無法一勞永逸，事實上，唯有藉著「勤能補拙」的方式，頻繁、全面而綿密的勤於補擦防晒乳，才能給肌膚最周延的保護。

「有啊，我每天早上出門上班前都會抹上厚厚一層防晒乳。」，我常聽到許多人如此炫耀自己的防晒功夫，以爲擦了防晒乳液就可以萬無一失地在戶外行走。直到過了一個夏季，他們才猛然驚醒：爲什麼，我花了這麼多錢投資防晒品和美白保養品，竟然會愈抹愈黑?!

美白產品無法讓黑美人瞬間成爲白雪公主，但是也不太可能會讓人「愈抹愈黑」，其成敗關鍵在於：「你，眞的會擦防晒乳嗎？」

全方位防晒的重點在於「好好的塗擦防晒乳，勤勞的補擦防晒乳」。如果平常使用的保養乳液已經含有足夠的防晒係數，就不用再另外塗抹防晒乳，但是仍然要記得勤勞補擦。

＊如果你得在戶外奔波一整天

出外時多喝水、盡量撐陽傘、走在騎樓下，別忘了在包包裡放罐防晒乳，每兩小時補擦一次，才能眞正避免防晒乳液隨著汗水和油脂而流失、讓紫外線有機可乘。

＊如果你是在辦公室內工作的內勤人員

別以為躲在室內就可以逃過紫外線的磨考，即使待在屋子裡，紫外線仍然會透過玻璃窗侵襲你，況且，上班族中午外出覓食時，正是紫外線最狂妄的時刻，最完備的抗日方法就是：早上出門前以及午休時段，分別擦抹一次防曬乳，幫肌膚穿上防護罩。

不讓防曬計畫壞了妳的美妝

愛美的你，一定有過這種困擾：早上起床花了半小時，化了一張美美的妝容，叫你如何補擦防曬乳液，難道要任這張美妝全糊了？

別擔心，只要對照你的妝容程度，就能迅速確實的同時掌握美麗與健康：

＊如果你的妝很「正式」

坦白說，就是有一點兒濃的妝。這類正式的妝容經過數小時之後，難免有些瑕疵，中午時分正是最好的補妝時機。可以趁這個時候好好補擦一層防晒乳液，再做好補妝功夫，不會讓你有多添一道手續的麻煩感覺。

你需要：防晒乳液＋化妝品

＊如果你的妝很「輕薄」

潤色粉底＋唇膏＋睫毛膏，是你最愛的裸妝風格。可以選擇有潤色效果的防晒乳，在戶外時每隔兩小時（整天待在室內的話，利用中午補擦即可）補擦一點潤色防晒乳，既可以修飾膚色，又能提高防晒的戰備力，同時具備補妝與防晒的功能！

你需要：潤色防晒乳液，或具有防晒係數的粉底液

＊如果你的臉很「油滑」

不管上妝與否，你的臉總是過不了多久就油膩不堪了。上妝時，總得擔心妝會浮糊掉，就算不上妝，油分也沒少幾分？沒關係，只要感覺整張臉又油光湧現，先用吸油面紙解決尷尬的油光，再輕輕撲一層防晒粉餅，搭配使用蜜粉可以略爲減少油分的分泌量。

你需要：防晒粉餅，或具有防晒係數的蜜粉

上有紫外線，下有對策，只要找對妳的妝容等級，就可以用最簡單、快速、有效的方法完成補擦防晒乳的動作。從今天起，姣美妝扮的你，再也沒有任何藉口逃避防晒大事了！

具有潤色效果的優質防晒乳：

1.理膚寶水全護極效防晒乳SPF60

安得利全護極效防晒乳霜，潤色效果相當好，讓膚色散發自然光澤。提供極高的UVA、UVB紫外線防護，不會導致粉刺，特別適合對日光敏感的肌膚，可以有效預防孕斑、晒斑。

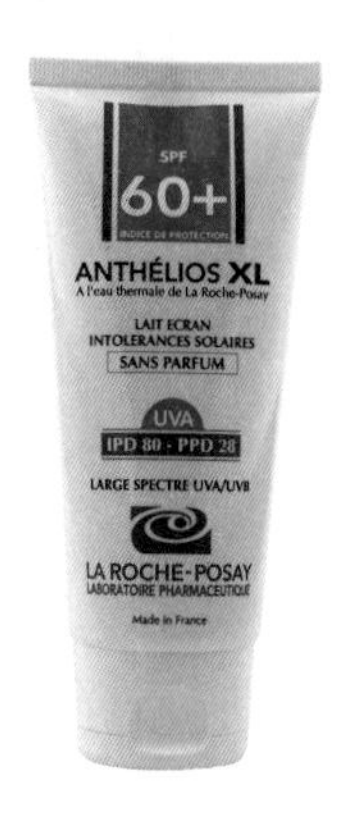

2.雅漾防晒霜SPF60

高防晒係數，提供持久的UVA、UVB保護。含雅漾活泉水，清爽乳狀質地，輕輕鬆鬆便能均勻塗抹於臉部，不會造成肌膚負擔。

運動族的抗日方針

多晒太陽才健康？紫外線能夠幫助人體製造維他命D、保持骨骼強壯？因此，你每天不得不多晒點太陽？

好久沒運動了，一到了球場，我立刻見識了久違的陽光、草原和暢快奔放的運動感，同時也見識了台灣男人的高爾夫球文化！

「陳醫師，你在擦什麼？」在上場前的更衣室裡，隔壁的張先生好奇的問我。

「防晒乳液，這是一定要的啦！」我一邊在手腳和臉、頸部擦防晒乳，一邊和張先生解釋。

「防晒乳液？現在都秋天了，不會晒傷吧！」張先生滿臉的驚訝。

「晒黑點，才有男人味！」李先生撈起POLO衫的短袖袖口，秀上他的小麥膚色，臉上透出滿滿的得意。

「防晒不只是爲了防止晒黑、晒傷，還可以預防皮膚老化和皮膚癌。你們要不要也擦一點？」

「不用了，不用了。謝謝！我覺得男人擦這種東西有點……」張先生一副欲言又止的模樣。

「娘娘腔？」我笑笑的說。

他們兩人不好意思的搔搔頭，尷尬地對視一笑，開球去了！

我看看周圍的球友們，紛紛邁大步走向陽光——當然，沒有任何一個人擦防晒乳——只留下慢慢塗抹防晒乳的自己！

你呢？

運動，就是為了要晒黑？

像我這樣把高爾夫球當健身運動的業餘球友，莫不把老虎伍茲視爲標竿，希望能夠藉以刺激自己的球技。但是別忘了「運動不忘防晒，防晒不忘補擦」的原則，可不要球技還沒增長幾分，皮膚就因爲長年不防晒，而愈來愈黑，愈來愈像伍茲！

「老實說，我並不喜歡運動，只是想晒黑點。男人嘛，一身白斬雞般的白泡泡皮膚實在不像話。」老實說，這可是許多男人決定起身運動的眞正理由呢！有些男性朋友則荒謬地認定：運動，就是爲了要晒黑，擦防晒乳根本就是多此一舉。

全世界只有像老虎伍茲這樣的黑人才能省下防晒的功夫，因爲黑人皮膚的黑色素含量很高，對紫外線有很好的防禦能力，即使不防晒，紫外線對皮膚的老化和致癌率都相當低。

我們黃種人的皮膚黑色素含量略高於白種人、遠低於黑人，若是沒有防晒就經常暴露於大量的紫外線之下，皮膚會快速的老化，輕則晒黑、長雀斑、老人斑，皺紋，嚴重者更會有皮膚致癌的風險！

多晒太陽，增進體內維他命D？

泰半的人，尤其男性朋友們普遍仍存有「多晒太陽才健康」的老觀念，他們大多相信：因爲人體無法自行製造維他命D，必須藉由紫外線的輔助才可以製造維他命D、保持骨骼的強壯，最後更義正詞嚴的加上一句：「眞的，小學課本有寫！」

但是，這句話只對了一半。

根據研究，只要鈣質攝取足夠，每天只要曝晒五到十分鐘的紫外線就已經足夠應付人體所需，絕對不需要多晒太陽才能製造出足夠的維他命D。除非你是一天二十四小時都窩在地下室裡完全不露臉，否則你一定有機會接觸陽光十分鐘以上，沒有必要再特意讓自己「晾」在陽光下。

過去，在經濟不好、人民普遍缺乏鈣質的環境中，才會鼓勵大家多晒太陽。現在，科學已證實紫外線正是肌膚老化、導致皮膚癌的元兇，在唯恐紫外線晒得太多的情況下，小學課本早已改寫這些健康指南，你的防晒觀念可要快快跟上時代！

台灣秋天的陽光雖然不致於悶熱難耐，但是紫外線其實是相當驚人的，多半仍處在過量級的階段，隨身攜帶一瓶防晒乳絕對是必要的。

運動前，還是先乖乖花三分鐘塗擦防晒乳，再盡情享受陽光下揮汗的樂趣吧！

正確選擇運動型防晒乳，確實做好防晒：

1.Castalia 全寬頻清爽防晒噴霧SPF20

特別適合：活動量大的運動員

添加有機化學濾光劑，達到同步對抗紫外線B波及A波的防晒作用，加入○．五%油溶性維他命C，具有防晒、美白雙重效果，酵母萃取物中含大量的單核甘酸可修補因紫外線受損的DNA。天然透明色、無油脂配方，使用一次約有兩百分鐘的強效保護。

2.理膚寶水全護清爽防晒液SPF30

特別適合：從事水陸運動

高度防水性，即使從事水上活動也不失防晒效果。突破一般防護濾劑油溶性差的缺點，產品能均勻塗抹在肌膚表層，在毛髮處也容易塗抹。提供全波長且高係數的防晒效能，質地清爽不黏膩。

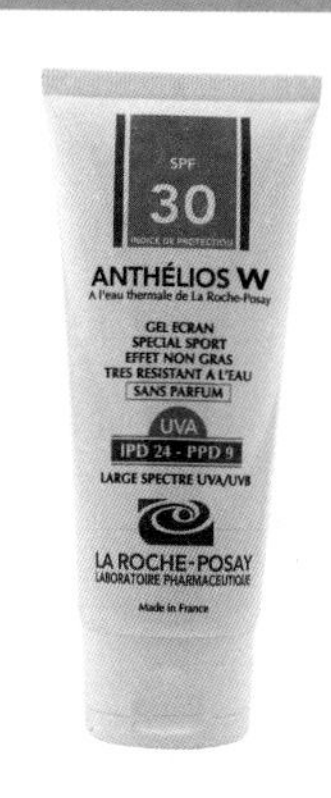

熱帶旅遊的防曬大事

夏天怎可缺少陽光、沙灘、海洋？但是，擁抱它們的同時，難道就得承受陽光的荼毒？

徜徉在暖暖陽光下，心情一點點慵懶悠閒下來，壓力不見了，憂鬱不見了，但是紫外線依然在你的四周虎虎發威，這可是咱們肌膚不可承受之重呀，防曬工作千萬不可以在這時也度起假，隨之鬆懈起來。

尤其到熱帶國家旅遊時，更要注意防曬和保養皮膚，否則出國一趟回來，不僅成了個黑美人，甚至把皮膚曬到發紅、脫皮，皮膚變得乾澀又粗糙，整個人好像老了一大圈。出國旅遊讓人重新拾回了好心情，但是卻必須以皮膚做爲代價，值得嗎？

出遊時，別忘了這五個祕訣，從防晒、保濕、美膚一併俱全，讓你盡情享受陽光，不讓炙陽吻傷了你的肌膚：

＊準備防晒乳

出國時，如果台灣剛好處於寒冬季節，國人大都容易疏忽了防晒這回事，也許一到當地飯店才驚覺：什麼，防晒乳竟然忘在家中櫃子裡！

＊多多益善

雖然記得帶防晒乳，但是卻以爲早上擦一次就可以抵消一整天的紫外線，渾然忘了補擦的重要性。一般從事戶外活動時，約二至三小時需要補擦一次，如果從事水上活動，除了要塗抹抗水的防晒乳外，每隔一至兩小時需要補擦。

＊妥善保濕

不要懷疑，待在熱帶國家裡也得做點保濕工作。許多人每到冬天肌膚就飽受乾燥與搔癢所苦，尤其一踏入熱帶國家，被炙陽一洗禮之後，更是癢的不得了。建議你，從乾冷的國家到熱帶國度的時候，一、盡量少用刺激性的肥皂。二、乖乖做好保濕工作，才不會讓你的旅遊情緒大大掃興。

＊避免刺激

到熱帶國家旅遊，怎能不放肆一下，好好戲水玩樂一番！小心，皮膚在海水中反覆浸潤，又上岸來反覆沖洗拍乾，重複太多次的肥皂刺激，會讓原本已經乾燥的肌膚更形惡化。建議你，一、一天只使用一次肥皂或沐浴乳。二、用清水沖洗即可。三、適度的塗抹身體乳液。

＊適度去角質

SPA、去角質、按摩……這些美容行程實在令人怦然心動，小心，過度的去角質反而會傷害了皮膚、增加陽光的穿透性，而且回到台灣之後還可能因爲肌膚保不住水分，而在冬天更加乾癢難耐。建議你，適度挑選療程，旅程中做一次去角質、按摩即可。曬傷後的肌膚特別敏感脆弱，要避免頻繁的精油按摩，否則容易造成香精過敏。

防水抗汗的防曬乳，就是萬能？

相信，愛美又熱愛戶外活動的你，一定不會忘了擦防曬乳，甚至早已在背包裡塞了一罐高係數的戶外專用防曬乳，但是無論防曬係數再怎麼高，它們仍然不是對抗驕陽的萬能品，別以爲擦了抗汗、防水的防曬品就不用再補擦了，否則從海邊或是東南亞度個假回來之後，會驚覺自己活像塊黑炭！

大半的防曬產品在浸水之後便會漸漸從皮膚表面被稀釋掉，上岸後應該立刻補充防曬乳，縱使選擇有防水、阻水、防汗功能的防曬產品，最好也在兩小時之後補擦一遍。

「難道，防曬乳上面標示的抗汗、防水功能都是騙人的？」其實，是我們自己誤解了商品標示的定義。

＊防水（water proof）

防水性防晒產品是指擦了防晒乳的你，在水中待了四十分鐘之後上岸，當身上的水分蒸發之後，再下水一次，同樣也是四十分鐘之後再上岸，如果身上的防晒乳仍保有防晒功能，就表示這個防晒乳具有「防水性」。因此，不管多麼強效的防水性防晒產品都只能提供你在水中遊樂兩次，每次各四十分鐘的時效性，在水中待的時間愈久，防晒效果當然也就愈來愈差。

＊抗水（water resistant）

水中維持四十分鐘的效能，大量流汗之下維持三十分鐘的效能。

＊抗汗（sweat resistant）

標榜抗汗的產品，防水效果比防水產品更是差了一大截。其實，從事籃球、棒球、網球等陸上的戶外運動時，才是使用抗汗性防晒產品的最佳時機，能避免防晒乳隨著汗水而流入眼、口之中。

休假時，祝福你在難得的假期中，帶回陽光、海水和蔚藍海岸的燦爛記憶，但可別帶回紅腫發疼又脫皮的晒傷肌膚！

肌膚晒傷時的急救法：

1.急性晒傷第一階段

症狀：皮膚出現紅、腫、燙、熱的情形。

急救：

❶立刻冰敷。用冰袋，或是用毛巾包著冰塊、冰水，每隔兩小時進行冰敷，約十分鐘。過度冰敷反而會造成凍傷。

❷睡前塗抹保濕凝膠，例如，蘆薈、粉末狀或痱子水式的爽膚收斂水，可以鎮靜皮膚、降低溫度，否則溫度升高會加重發炎情形。

2.急性晒傷第二階段（晒傷後期）

症狀：皮膚出現脫皮狀況。

急救：

塗抹低敏感性乳霜，例如，異位性皮膚炎患者所使用的乳霜。脫皮階段的肌膚因為角質層破損，需要立刻進行修補，乳霜的乳化劑較小，刺激性也比較低，大約塗抹兩、三天就可以了。絕對避免使用收斂產品，因為內含的顆粒或酒精、水楊酸等，會吸收表面的水分，惡化脫皮狀況。

陰天，不用防曬？

告別了豔陽天，就可以把防曬乳甩到一邊？

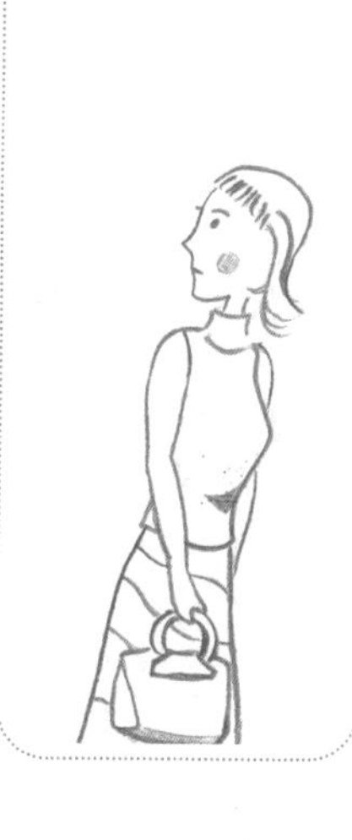

如果你還以為防曬是豔陽夏日的專利品，小心，春與秋的暖暖陽光也會讓你的防曬計畫徹底破功！

微溫微暖、沒有絲毫熱度壓力的陰天最是讓人不設防，沐浴在陰天的淡薄陽光中，我們以為終於可以擺脫防曬、防曬、防曬的重重手續了，渾然不覺皮膚有任何曬到發紅發癢的不舒適感。一段時間之後，我們才開始懊惱：「哎唷，明明這幾天都是舒服的暖天，怎麼我還是變黑了？」

擋也擋不住的紫外線

事實上，雲層雖然可以阻擋紅外線，讓我們不覺得烈日灼身，卻對紫外線完全沒輒，尤其長波長的UVA更是穿透力十足，在我們不自覺中便攻進皮膚，對皮膚造成深層的傷害！當你沈浸於舒服的暖陽裡，對陽光減少了戒心，謹記：「紫外線就在你的周圍，蠢蠢欲動！」

紫外線根據波長長短可以區分為下列三種：

＊UVA（紫外線A光，長波紫外線）：波長介於320~400nm

紫外線A光可以穿過家中或是車窗的玻璃，甚至可以穿過雲層、穿過九英尺厚的水層，直接穿透表皮，到達皮膚的眞皮層。因此，即使在霧濛濛的天氣裡，紫外線A光依然摩拳擦掌，伸展著魔爪，無所不在。

殺傷力：環伺在側的敵人！是皮膚老化的元兇，助長皮膚癌的形成。

*UVB（紫外線B光，短波紫外線）：波長介於290~320nm

紫外線B光能到達皮膚的表皮，波長越短的紫外線，對我們皮膚的傷害極大，容易讓皮膚產生紅、腫、癢、脫皮。

殺傷力：正面攻擊的敵人！造成急性曬傷的狀況，長期累積會造成皮膚癌。

*UVC（紫外線C光）：波長小於290 nm

波長最短的紫外線C光，連臭氧層都穿不過，所以根本不會到達地表，不會對皮膚造成任何不良影響。

殺傷力：撒旦般的惡魔！所幸被隔離。

養成習慣，每天注意紫外線指數

陽光愈強，紫外線愈傷人？錯！

紫外線的強弱無法由陽光的強度直接判讀，因爲陽光中除了紫外線之外，還有許多可見光以及紅外線。就算天氣暖和怡人，一點都不覺得熱，紫外線卻很可能正處於過量級呢！

爲了讓大家能夠準確掌握當天，甚至是隔天的紫外線狀況，環境品質文教金會與皮膚科醫師們設計了「紫外線指數」這個衡量標準，能夠定量觀察出環境中的紫外線強度，提醒大家做出正確的防晒對策。

每天，除了看氣象報告留意溫度、降雨機率之外，別忘了對紫外線指數多看兩眼！可參考中央氣象局紫外線指數預報，於前一日下午四點發布。

對付伺機而出的紫外線，你可以這樣做：

智擒＼紫外線	微量級指數0—2	低量級指數3—4	中量級指數5—6	過量級指數7—9	危險級指數10—15
帽子或陽傘	◎	◎	◎	◎	◎
防晒乳		◎	◎	◎	◎
太陽眼鏡			◎	◎	◎
待在蔭涼處			◎	◎	◎
長袖衣物				◎	◎
上午十點~下午兩點，少外出				◎	◎

撐傘，省了防晒乳？

只要出門，我隨身都會帶把傘，既能預防突然一場雨，還能防晒，真是一舉兩得。有了傘，連防晒乳都省得擦了?!

隨著氣溫一度一度悶熱起來，街道上的女性們也紛紛撐起一把把陽傘，仔細一瞧，有精緻的蕾絲傘，有細柄的陽傘，有白，有粉，再瞧瞧，竟然有人把黑色的粗骨架雨傘都直接拿來遮陽了。

到底哪一種傘具有最高的防晒效果？

市面上號稱的UV陽傘，最適合豔陽高掛的夏日嗎？

事實上，防晒效果最佳的傘是：

1. 深色：傘面的顏色愈深，防晒效果愈好，有別於我們以往認爲「黑色容易吸陽光，因此夏天應該少用黑傘、少穿黑衣」。

2.外深、內銀灰色：雖然深色的傘具有最優的阻隔紫外線作用，但是深色難免讓人感覺暑熱，因此便有了改良式的設計——曝露於陽光下的傘面爲深色，遮蔭人的內面採用淺銀色。

陽傘只能給你一半的防晒

即使撐了一把遮陽率極好的陽傘，別忘了，防晒乳仍然不可或缺。

許多人認爲一把陽傘就足以阻隔所有的紫外線，防晒乳只是畫蛇添足，如果你湊上前去問一個撐傘的人是否擦了防晒乳液，大部分的人都會反問你：「我都已經撐傘了，幹嘛還要擦防晒乳液？」

乍聽之下彷彿天經地義，其實隱藏了更多的危機！這種看似充足，卻遠遠不夠的防護，反而會讓自己對陽光失去了戒心，自以爲只要拿了把傘就可以瀟灑遊走日光下，反而在不自覺中曝曬了更多的紫外線。

一把優質的陽傘雖然可以有效阻隔紫外線，但是不論它如何有效，充其量也只能給你一半的防護：阻隔得了直射的紫外線，卻對來自地面的陽光反射、玻璃櫥窗和路旁車輛的光線折射一點防備力都沒有。舉個例子，當你坐在露天咖啡座裡享受歐洲式的下午茶情調，儘管頭上頂著超大型的遮陽傘，爲你消散了不少暑氣，但是從地面、玻璃桌和商店櫥窗所折射、散射的紫外線，仍然毫不留情地一一投射在你身上。

別忘了，撐傘只是加強防護，還是得乖乖塗上防晒乳液！

出門時，套件長袖薄襯衫

準備踏出涼爽的空調室內、迎向室外的陽光前，先檢查自己的抗日裝備是否齊全：

＊遠離

日正當中時，請遠離太陽。早上十點到下午兩點的時段，太陽正高掛在我們的頭頂上方，紫外線被大氣層濾掉的比率最小，因此紫外線的強度是一天當中最猛烈的。在這個時段裡，出門是能免則免，非得外出時應該盡量走在樹蔭或走廊裡，千萬別逞英雄，讓自己曝晒在炙烈陽光下。

＊阻擋

外出前，先塗抹防晒係數SPF15和PA＋＋以上的防晒乳液，每隔兩小時在臉部補擦一次防晒乳，就算只是下樓吃個飯、買杯咖啡，也別忘了。即使在室內，只要陽光可以透進玻璃窗，就得乖乖擦一層防晒乳。身體部位的流汗、分泌油脂量並不高，只要在早上出門前、中午時，各塗抹一次防晒乳就足夠了。

＊遮蓋

其實，無論多麼有效的防晒乳液，都比不上衣物遮蓋來得有效。出門時，最好戴上帽子或是撐把傘，如果能套上長袖緊織的淺色T恤和長褲就更完善了。

織得愈密、顏色愈深的衣服，防晒效果愈好，一般來說，白色衣服至少都有SPF15的防晒係數。深色衣物可以阻擋光線，淺色衣服很容易透過光線，但還是可以反射陽光，因此我們可以看到熱帶地區的人們，通常都穿著白色長袖衣物，既可以反射陽光，又可以避掉暑氣。

出門前，隨身攜帶這三件抗日裝備：

1.防晒乳

2.陽傘或帽子

3.質料輕薄的長袖襯衫

BABY，對紫外線免疫？

嬰兒皮膚這麼幼嫩，幹嘛要防曬？反正，皮膚是從二十五歲開始老化，我從二十歲開始防曬還來得及。

你認爲，皮膚老化和皮膚癌是專屬於成人的隱憂？錯！

根據統計，當我們正邁入青春正美的十八歲，剛剛跨出青春痘的煩惱，盤算著爲自己打造一張白嫩光滑臉龐的時候，我們卻已經接受了這一輩子所曝曬的紫外線總量的八十％！

因此，如果你是一個不注意防曬的青春學子，當你正懷抱著大學新鮮人的雀躍心情，你的臉卻已經開始老了。紫外線對你的皮膚長期累積所造成的傷害，已經達到這輩子總量的五分之四。「才剛揭開璀璨的人生，皮膚卻已經老了五分之四！」聽來實在駭人。

更遺憾的是，當你此刻驚覺這件事實，預備用盡一切努力來作彌補時，過去的傷害卻已經成爲無法挽回的既定結果。

防晒也要贏在起跑點

「孩子年紀這麼小，還沒有美白的需求，當然更不需要防晒！如果這麼小就擦防晒乳，以後不就要塗更貴、更厲害的保養品才能見效？」這是大家普遍存有的謬見。

皮膚科醫師曾經做過一項研究：如果讓孩子從六個月大時開始防晒，不分晴陰雨，不分四季，每天積極的塗抹防晒係數十五以上的防晒乳液，當這些孩子十八歲時，就已經將未來得到皮膚癌的機會大大降低了七十八％。當然，皮膚老化的問題也被遠遠延緩了。

給孩子的肌膚一個美麗的未來，請從小開始，才能爲他未來的良好膚質打下深厚底子。

兒童的皮膚對於陽光紫外線的抵抗力，比成人更爲脆弱，容易被晒紅晒傷，更容易造成皮膚水分流失，導致乾燥。如果非得曝晒於陽光下，應該在臉部、手部，塗抹天然礦物、安全耐受性高的防晒產品，避免受到紫外線傷害。

從嬰兒滿六個月大的時候，就應該爲他預備一切防晒措施：擦抹防晒乳液、戴帽緣寬的帽子、愼選一款百分之百防紫外線的太陽眼鏡、穿上質材輕薄的長袖衣物、避免在日正當中時外出。儘管孩子的年紀還小，但是出門前的防晒動作仍然要視同大人一般的完整、全方位。如果孩子已達入學年齡，不妨私下和老師多溝通，和老師們分享「小朋友更要防晒」的觀念，藉由老師的力量，讓孩子在學校的戶外活動時間也別忘了防晒大事。

必須特別注意的是，爲小孩挑選防晒乳時請把握三個原則：

1. 低敏感度：幼童的肌膚比較細嫩，低敏感度的防晒乳可以避免引起肌膚過敏。

2.塗抹後，能與肌膚顏色有所區隔：可以讓父母知道防曬乳液是否已流失，例如，氧化鋅、氧化鈦在塗抹後，雖然會有一層白的顏色，但可以讓父母清楚知道幼童的肌膚是否仍有足夠的防曬乳。

3.全面防護：必須同時阻隔紫外線A光、B光。

白皙美人更要注意防曬

嬰兒和幼童的防曬大事常常被家長忽略了，另外，我們成人也往往疏忽了：皮膚愈是白皙，愈要好好防曬。

「我怎麼晒都不會黑！所以我根本就不需要防曬。」有一天在捷運上聽到這樣的話語，基於皮膚科醫師的職業習慣，我微微偏過頭觀察：果然，不出所料，發言的是一位皮膚細嫩、天生麗質的白美人，而她身旁的黑美人則用無比欽羨的眼光看著說這句話的白皙美人。

但，此時的我卻不禁為眼前的這位白美人，捏一把冷汗！

其實，皮膚不容易曬黑的白美人更應該仔細做好防曬！白美人天生擁有令人妒羨的姣好白皙膚色，表皮中所含的黑色素數量較少，表示皮膚中用來抵禦邪惡紫外線的防護罩，相對而言少了許多。

白美人雖然擁有曬不黑的傲人優勢，但是長期下來皮膚內所積存的紫外線傷害，絕對不輸給黑美人，如果不好好正視紫外線的威脅性，白美人面臨黑斑、皺紋、皮膚癌的機會可是比黑美人大上好多倍！

選對防晒乳，幫孩子做好防晒！

1.艾芙美（ADERMA）燕麥防晒保養霜SPF25

特別適合：嬰幼兒肌膚、脆弱敏感肌膚

含有二氧化鈦、氧化鋅，百分之百天然礦物性反光劑。成分穩定，抗汗、抗發炎、抗刺激，防水性高，無香料，無酒精，適合各類膚質使用。

2.雅漾純物理防晒乳SPF25

特別適合：嬰幼兒肌膚、脆弱敏感肌膚

含三十六％雅漾活泉水，舒緩、鎮靜、百分之百對光安定性、抗發炎，無化學成分，不添加界面活性劑，使用時肌膚感覺相當輕柔。純物理性防晒劑，專利礦物超微粒保護因子（MPI），不會阻塞毛孔，提供長效的紫外線防護。

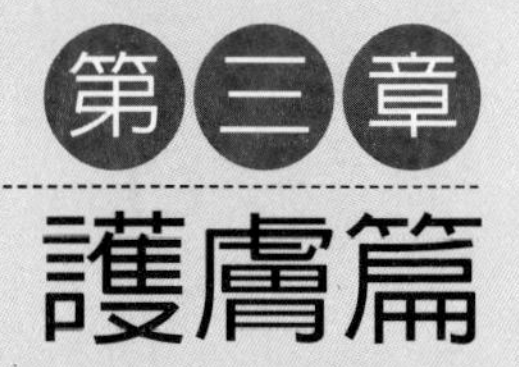

第三章

護膚篇

再見了，乾妹妹

每年春夏，我乖乖做好防晒；每年秋冬，我認真做好保濕，為什麼一入了秋，我的臉仍然又紅又乾，又長痘子又脫皮，活像一張上了年紀的橘子皮。

秋老虎一到，天氣悄悄變了色，溫度驟冷、濕度降低……這些外在環境都會讓肌膚不易保水，顯得乾燥粗糙沒有光澤，甚至容易敏感發癢、引起發紅濕疹、讓肌膚細紋立刻現了形。唯有做好保濕工作，才能讓肌膚綻放水嫩的青春姣顏，並且防止肌膚受傷，預防肌膚老化。但是，你的保濕做對了嗎？

「醫生，我也需要保濕嗎？」她一揚頭，我發現她剛剛才用吸油面紙抿過的臉，又泛起了潮糊糊的油光。

「你爲什麼覺得自己需要保濕？」我注意到她右手總是捏著一張吸油面紙，每隔十幾分鐘就朝臉重重壓一壓。

她兩手一攤，「沒辦法呀，大家都說保濕很重要，否則皮膚太乾燥會引起皺紋，所以我就買了一罐朋友推薦的精華油，每天晚上洗完臉就抹一點。但是最近又開始冒起痘子，因此我就換了深層清潔的磨砂洗面乳，對了，醫生你覺得我是不是應該擦點日霜？」看著她的臉，我眞想把那個推銷她購買精華油的人給揪出來，狠狠爲他上一堂皮膚保濕美容課。

乾妹妹的保養大計

很多人都覺得春天的肌膚比較敏感，容易有發紅發癢、起小疹子的敏感狀況，其實都是因爲不恰當的肌膚秋冬保養所引起！

我一直非常欽佩老一輩人的生活智慧，老人家總會強調：換季有什麼難，只要看看節氣就好了，端午節一過，就把夏天用的涼被拿出來；中秋節一到，就可以準備秋冬的厚棉被了。

同樣的道理，我也常常在門診中和大家分享「保養品換季」的觀念：每到中秋節，除了準備月餅，也該爲自己的肌膚準備秋冬專用的清潔和保養用品，並且把夏天的美容用品好好收藏在太陽無法直射的地方。

春夏的皮膚護理首重「控油」，入秋後的皮膚保養以「保濕」爲重心，隨著氣溫每下降攝氏一度，皮膚的皮脂分泌量也跟著下降百分之十，雖然減少了皮膚狂出油的煩惱，但是皮膚的保水能力也相對大爲降低了。

入秋以後，溫度和濕度就會對人體產生深遠的影響，爲肌膚準備秋冬的保養品，就和爲身體準備秋冬專用的厚棉被一樣重要。

關於秋冬的肌膚完全保養，你可以這麼做：

＊洗臉

許多人對保濕的印象就是「洗完臉，塗一點保濕乳液」，錯，這樣的保濕工作只對了一半。

完美的肌膚保濕，從「清潔」開始。

夏天時，大家比較偏好皂類，或是去油力強的清潔用品，因爲可以提供強效的清潔力和去油力。但是當天氣漸冷，這類清潔品開始讓肌膚出現輕微乾燥現象的時候，許多人想到的是趕快在臉上擦一層厚厚的乳液。事實上，把肌膚弄得太乾燥，再保濕，不僅傷了荷包，更大大影響保濕的效果。

最 smart 的方法：

1. 從洗面乳開始換季。選擇清潔產品時以「溫和」爲重點，不強調去油或深層清潔的洗面乳。
2. 如果感覺肌膚乾燥，再使用保濕產品。

＊保濕

不管你的臉是乾妹妹型還是油面族，一到秋天，都應該調整保養態度，不要因爲嫉「油」如仇而狠力的拚命去油、去角質了，趕快把收斂型化妝水放進櫃子裡好好過個冬吧！

最 smart 的方法：

1. 以保濕化妝水取代收斂型化妝水。
2. 拉長深層清潔面膜、去角質產品的使用間隔。
3. 爲肌膚補充豐沛的水分（例如，保濕化妝水、保濕凝膠）和適量的油分（例如，潤膚霜、營養霜、保濕乳液）。

＊防晒

天涼好個秋，你以爲防晒工作終於完成階段性任務了？不！秋日的天氣雖然風和日麗，暖和的陽光令人打心底歡快起來，但是在台灣，秋季的紫外線正是名副其實的秋老虎，不僅處於過量級，有時甚至還達到危險級的強度。

最smart的方法：
別無他法，乖乖擦防曬乳吧！

保濕產品大究極

每到秋冬，各家美容保養品廠商紛紛提出「保濕抗老」的消費觀念，你，也被這波廣告戰術攻陷了嗎？

從事皮膚專科這些年來，我對於國人「用去油力最強的洗面乳洗臉，用滋養力最補的乳液潤膚」的美膚態度非常驚駭。先別談臉是否洗乾淨了，皮膚是否滋潤了？事實上，過度的清潔、使用多種而繁複的收斂去油步驟，然後在乾荒粗糙的肌膚上塗上很滋補的產品，就自以爲做了完備的保濕工作（因爲用了很貴或是很油的產品）……這種兩極化的極端態度只會讓肌膚變得更敏感、脆弱，而且還花了冤枉錢！

坦白說，對於年輕健康的肌膚而言，只要正確的把臉好好洗乾淨，就是完成保濕步驟了！

目前，市面上的保濕產品約可分爲兩大類：

＊補充水分

產品：保濕化妝水、保濕凝膠、保濕菁華液、保濕面膜。

優點：補充肌膚的含水量，產品比較不油膩。其中，保濕面膜是藉由密封作用，爲肌膚留住水分。

缺點：保濕效果大約是二～四小時，之後，水分仍然不留情地慢慢蒸發掉。

＊鎖住水分

產品：保濕乳液、保濕乳霜、精華霜、日霜、晚霜、滋養霜。

優點：爲肌膚牢牢地鎖住水分，保濕效果很好。

缺點：先給予肌膚水分，再擦拭產品，比較能見效。

其中，乳液和乳霜各有不同的保濕性格：

◆乳液（lotion）	水分含量豐富，輕輕搖晃可被搖動，是肌膚的薄外套。
◆乳霜（cream）	油分含量豐富，濃稠的霜狀體，滋潤度非常高，是肌膚的厚外套。

認識肌膚的個性，幫你的臉穿對外套：

肌膚類型	完美保濕術
油性	把臉洗乾淨，就是最好的保濕工作了
輕微外油內乾	正確洗臉，洗臉後若感覺乾燥，擦上保濕化妝水
外油內乾	正確洗臉，再塗保濕凝膠或保濕菁華液
嚴重外油內乾	正確洗臉，再塗保濕菁華液或保濕面膜
中性	正確洗臉，就是最好的保濕工作
乾性	(1)給予水分（例如，保濕化妝水、保濕凝膠、保濕菁華液、保濕面膜） (2)塗抹保濕乳液或乳霜
極乾性、老化	保濕凝膠＋保濕乳霜
敏感	(1)溫和洗臉 (2)塗抹保濕凝膠或乳霜

請注意：

1.過油的保養乳液乳霜，例如，綿羊油、橄欖油，雖然富含滋潤度，但是容易阻塞毛孔、導致粉刺、惡化痘痘，只適合塗擦身體。

2.為臉部選擇一件保濕的好外套，請選擇標示有 Non-comedogenic（不會生成粉刺）的乳液或乳霜，讓你享受毫無負擔的保濕度。

3.當寒流來襲、搭飛機或是到乾冷地帶旅遊時，先為臉部穿上專用的厚外套，之後再回歸平常使用的薄外套。

保濕，就是幫肌膚穿對外套，肌膚越乾的人，就該穿上一件溫暖的厚外套（乳霜）。保濕不是一成不變的事，當你隨著天氣更換大衣和夾克時，別忘了為臉部穿上最適當的外套！

輕鬆美膚術

選對保濕乳液，作好肌膚保濕：

1.杜克保濕 B5 凝膠

特別適合：敏感肌膚（若搭配精華液使用，效果更持久）

含有高濃度的玻尿酸及維他命B5。玻尿酸是皮膚的天然滋潤劑，在皮膚表層內可緊緊吸附著水分子，防止皮膚散失水分，並可補充皮膚所需的營養，使肌膚觸感更加滑細，看起來更年輕有光澤；維他命B5可以協助皮膚自行修復、加強對外環境的抵禦能力，使皮膚維持水嫩細緻。

2.雅漾自律保濕滋養霜

特別適合：高度敏感肌膚

高度敏感肌膚一向很難找到適合的保養品，流汗後皮膚容易有搔癢感、肌膚較薄、微血管明顯，烈陽照射後會有潮紅反應，必須選擇具有舒緩保養皮膚功效的保養用品。這款產品含有五十七%雅漾活泉水，所有成分都經滅菌處理，完全不含防腐劑、界面活性劑，可以重建修護肌膚、減低肌膚過敏反應。

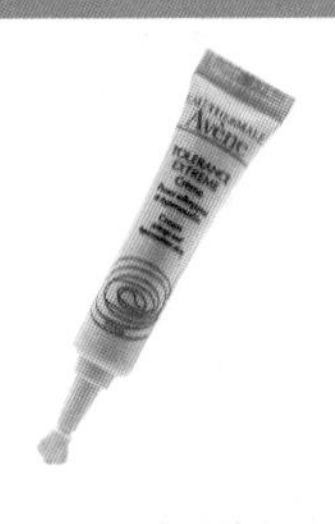

3.法黎雅（Exfoliac）保濕修復乳

特別適合：脆弱乾燥的問題皮膚

質地清爽，重建肌膚的皮脂保護膜、補充皮膚水分、預防毛孔阻塞。保濕，重整肌理因子可以舒緩鎮靜刺痛的皮膚，減輕皮膚紅腫的狀態。皮脂保護形成因子能夠修護肌膚，讓肌膚回復柔嫩細緻。舒緩鎮定因子可以和緩刺激、緊繃感，消除青春痘引起的紅色斑點，防止肌膚油光滿面。

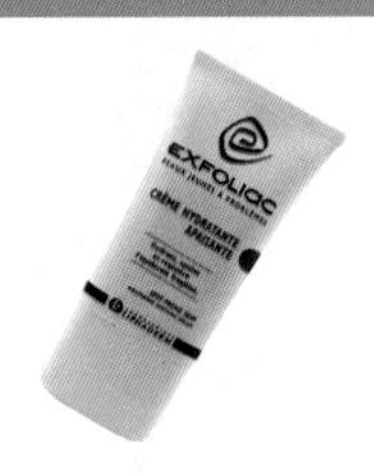

4.艾芙美燕麥再生修護滋養霜

特別適合：乾性肌膚

含維他命E、燕麥萃取等天然維他命成分，可以刺激淋巴球、加速受損皮膚和血管的新生，為乾性肌膚提供很好的保護、保濕效果。若是有燒燙傷、曝曬、刀傷、皮膚裂傷、刮鬍、刮腿毛的情形，也能呈現絕佳的修護效果。

甩掉油面族

朋友總愛挖苦我一年到頭都很「容光煥發」，其實，我的臉是三百六十五天整個四季都很油。

過度去油，反而油光滿面?!

「夏天一到，我的臉簡直是油光直閃，爲了克服這種油膩膩的感覺，我每天都勤洗五次臉，到底我還能怎麼辦？」

清明節一過，許多人也跟著變了臉——成了黏膩的油面族。爲了對抗油光，你是否也以「用去油力超強的洗面乳多洗幾次臉」來解決困擾？

問題是，當皮膚去油去過了頭，不只會顯得乾澀，更會導致受傷而產生濕疹。最惱人的是，當你認眞的以勤洗臉去除油膩時，皮膚容易受傷，保水力下降、溫度升高，反而會分泌多一點的油分來保護皮膚，這就是所謂的「油分代償」作用，結果愈洗臉、愈去油，臉卻變得更加油光照人！

洗臉是一門大學問，臉上殘存油膩感，會造成肌膚的負擔；過度的去除油光，會對肌膚造成另一種傷害。尤其對於痘痘族來說，去油去過了頭，更會引起肌膚的反撲，反而容易惡化痘痘！

想要讓臉擁有油水平衡的完美狀態，請掌握兩個美膚訣竅：

*適度的洗臉清潔

正確的洗臉次數是一天二～三次，但是在炎熱高溫的暑夏時分，可以用清水多洗一、兩次臉，過度使用洗面乳會讓肌膚出現油水不平衡。

*保持肌膚油水平衡

朝臉部肌膚噴一點化妝水，或是塗抹收斂化妝水、保濕控油凝膠，這些冰涼感可以立刻爲臉部肌膚降溫、降低油脂分泌。夜晚時，塗抹果酸或是A酸可以抑制油脂分泌，避免睡眠時因爲油脂分泌過多而導致粉刺。

想要改善油脂分泌過多的苦惱，絕不是一朝一夕就可以完成，以目前的醫療美容環境來說，唯有口服藥物能夠眞正調節油脂分泌的問題，但是治療期間比較長。市面上普遍都以吸油面紙，或是收斂水、保濕凝膠、蜜粉等來控制油分，避免過多的油脂造成粉刺，只可惜最根本的皮脂腺問題並沒有得到徹底的解決。尤其要特別注意的是，目前市面上有種吸油面紙，內含有酒精成分，標榜可以快速達到控油效果，絕對要避免頻繁使用這種吸油面紙，否則會過度刺激肌膚，造成角質脫落，害你的臉變成乾巴巴又粗糙的缺水肌膚。

「怎麼搞的，明明臉很乾，但是又冒一堆痘痘？」如果你的肌膚也陷入這種窘境，請先檢查手邊的洗面乳和收斂水是否太強力，乳液是否太滋補？想要「油水平衡」，請讓清潔品和保養品先達到平衡，才不會讓臉部狀況陷入矛盾！

機車騎士的面子問題

我常常覺得，機車騎士眞可說是台灣的特產了。在門診中，許多患者都急著爲自己的油面臉表態：醫師，我的臉這麼油，一定是跟騎機車有關吧！讓我在驚嘆這股世界奇觀時，不得不正視這個問題：「騎乘機車所衍生的皮膚問題，以及皮膚保養對策。」

*護臉祕訣

機車族一定有這樣的經驗：每天回到家，一用面紙擦臉，就會被一層黑抹抹的油污灰塵給嚇一大跳。其實，只要戴上全罩式的安全帽，就可以避免你的臉和氣管受到機車廢氣的迫害，但是老實說，在悶熱的燥夏裡，想要徹底執行這個方法眞是有些困難。如果你根本無法作到這一點，就好好洗個臉吧！

*洗臉的時機

滿街的汽機車廢氣也許不是你可以掌控的，但是你至少可以爲自己掌握洗臉的時機。一回到家，首要之務就是洗手、洗臉！在第一時間洗去這些廢氣油污，可以減少它們停留在臉上所造成的殺傷力。

＊洗臉的產品

爲了對抗髒污的環境，機車騎士可以選擇略強一點的洗臉產品。例如，中性皮膚的你在早晨或是其他時間，仍舊照用「中性洗面乳」，但是在騎車回家後，應該選擇特別設計給「T字部位偏油的混和性皮膚」使用的洗臉產品，略高一籌的洗面乳足以爲你甩脫這些不速之客，又不致於過度刺激臉部。

＊我該卸妝?!

別大驚小怪了，不施脂粉的你如果只是在上下班時騎趟機車，大可不必使用卸妝產品，只要選擇清潔力略強一級的洗面乳就可以了。如果你是騎著機車東奔西跑的業務、快遞、送貨員，一整天累積下來，臉上污垢可能已經相當可觀，這時可以採用「乳液狀的卸妝乳」進行臉部清潔。

皮膚醫學至今尚未發現改變膚質的方法，絕對不可能透過任何方法，將油性膚質徹底改變爲中乾性膚質。但是，我們至少可以藉著三種方式改善油面臉：

1.控油保養品：可以稍稍減少分泌量，並將油分從T字部位轉移到較乾燥的兩頰肌膚。

2.醫療級保養品或藥品：透過濃度較高的果酸、水楊酸或是A酸，達到有效抑制出油的效果。

3.低劑量口服A酸：目前最有效的抑制出油方法，可以改善八十%的出油狀況。但是停藥數個月後，又會恢復原來的出油情況，如果只爲了控油，一般較少採用。

選對產品，告別油光粉面！

1.理膚寶水油脂調理露

特別適合：油性、混合性肌膚、青春痘肌膚

含有最新科技N12分子網膜的活性成分，並有薰衣草、迷迭香、母菊、薄荷等萃取保濕精油。保濕、控油度佳，減少毛孔阻塞，可維持數小時以上的控油效果，上妝前後任何時刻都可使用，不會影響粉底的效果。

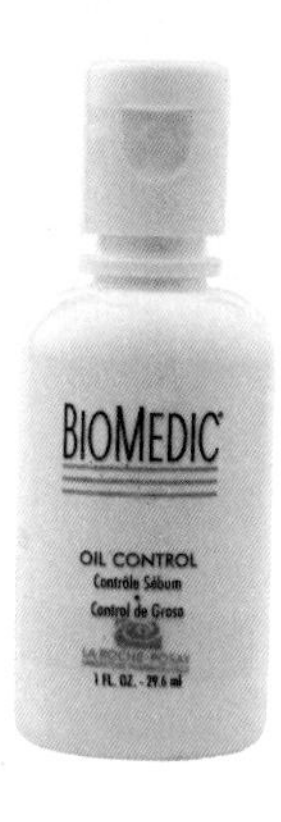

2.芙美得控油調理霜

特別適合：脂漏性皮膚炎、青春痘肌膚

清爽的乳液質地容易塗抹皮膚極易吸收，溫和不刺激皮膚，無添加類固醇、抗生素、油脂成分，沒有抗藥性的問題。含有複方B群，可以有效抑制皮脂出油，更能夠修護受損肌膚；聚合多醣體可以發揮立即性的長效保濕，控油和保濕工作，一次完成。

搭飛機，順便做臉護膚

每次搭飛機，一心一意只盼望飛機趕快到目的地，機艙內的乾燥實在讓人受不了！

飛機上的美膚大計

常出國的人一定有這樣的經驗：上飛機時帶著一張美美的妝容，一下了飛機，卻彷彿成了個滿臉皺紋的老太太！這是因爲飛機上的空調會大幅降低機艙內的濕度，造成肌膚中的水分大量流失、引起肌膚乾燥，甚至擠壓出一道道不忍卒睹的細紋，眞可說是咱們的美容大敵！

想讓你的旅途充滿美麗的記憶，可以試著在飛機上做點美膚工作，爲臉蛋加分：

＊短程飛行

如果搭乘國內航線，飛行時數通常不長，只要多喝水、平心靜氣度過這段時間就可以了。帶著不上妝的素顏登機，是寶貝肌膚的不二法門，如果一定要上妝，請把握這五個原則：

1.上妝前，先做好保濕的工作。
2.選用保濕型粉底液。
3.避免使用蜜粉、粉狀眼霜或腮紅。
4.在眼睛周圍和嘴唇擦上較油膩的眼霜和護唇霜。
5.下機時，補擦一些蜜粉和眼唇妝，就是一張姣美的妝容！

＊中長程飛行

當飛行時間大於三小時，就是肌膚大受考驗的時候，請避免頂著一張大濃妝上飛機，略上一點薄薄的淡妝就可以了。航程中，做點簡單的保濕護膚動作，可以爲肌膚維持水嫩潤澤！

1.上飛機後，先把妝卸除乾淨。

2.卸妝後，將空姐送來的熱紙巾直接敷在臉上，再敷上自行攜帶的保濕面膜。

3.或者，將隨身攜帶型的保濕化妝水弄滿熱紙巾，敷個十分鐘。

4.敷臉後，擦上保濕乳液，在眼周圍和唇部擦上眼藥膏或是凡士林，乘機睡個美容覺。

5.醒來後，如果還有餘暇，可以再重複做一次保濕動作。

6.下飛機前，擦上保濕化妝水和乳液再上妝，可以保存臉部的水嫩感。

7.擦點護手霜和身體滋潤霜，可以減少身體與手部的不適！

寒帶旅遊的美膚大計

準備到寒帶國家度假？趕快檢查行李箱內，除了禦寒的衣物，是否爲臉部肌膚準備了適當的保養品。小心，踏入寒帶國家或是日夜溫差大的國家時，如果什麼保養動作都不做，皮膚就會對你頻喊救命。

抵達寒帶國家時，請你這樣呵護你的臉：

＊攜帶溫和的洗面乳

暫時擱下你對痘痘臉的顧忌，到寒帶國家旅遊時，務必捨棄平時慣用的超強去油洗面乳，改爲使用溫和、中乾性肌膚使用的洗面乳，才不會讓臉部既乾燥，又冒痘不已！如果貪圖方便而直接使用旅館附贈的肥皂，往往會造成肌膚的緊繃不舒適，嚴重者更會惹得濕疹上身。

＊洗澡時忌用過熱的水

在寒冷的國度裡玩樂了一整天，一回到飯店難免想要好好泡個澡舒緩一下，謹記維持適宜的水溫，千萬不要猛拿熱水拍身體，過冷和過熱會對肌膚造成刺激，容易使肌膚受傷！

＊不要使力搓皮屑

到了乾燥環境，皮膚可能會有點小脫屑，別以為是自己沒洗乾淨，而用力搓弄皮屑，否則一旦傷及正常角質層，皮膚就會更乾更癢。

＊適度清潔

外國人不愛洗澡不是沒有道理的，在乾燥地帶裡，過度清潔只會造成肌膚不適。如果你已經養成每天洗澡的好習慣，提醒自己只要在腋下、胯下輕輕塗抹一點肥皂就可以了。如果皮膚眞的太乾燥了，不妨用清水沖洗身體，或者兩天使用一次肥皂。

＊做好保濕工作

如果當地的溫度和濕度都比台灣低很多時，請爲自己準備一罐比較油膩的面霜和身體乳液，或者將凡士林、眼藥膏塗抹於身體、臉部、眼唇，就能得到極佳的保濕效果，才不會因爲皮膚癢而在夜裡輾轉難眠。

＊電暖氣旁放一盆水

通常，旅館內一整天都會供給合宜的室內空調，但是爲了避免屋內的空氣過於乾燥，引起身體不適，建議你在室內放一盆水，可以減少身體流失水分。

輕鬆美膚術

出國遊玩，別忘了打理你的面子！

1.雅漾舒護活泉水

特別適合：各類膚質

一百％雅漾活泉水，具有舒緩、抗刺激、抗發炎的好效果，可以明顯改善紅腫、發炎、過敏的現象。無色、無臭、無菌，更能夠清洗傷口，如果在機艙內感覺乾燥，可以立刻補足臉部水分。在完整清潔、疤痕搔癢、臉部潮紅、刮鬍後、定妝、晒傷、炎熱夏季、運動後，非常適合使用。

2.雅漾防晒霜

特別適合：各類膚質，尤其是敏感肌膚

有效隔離紫外線UVA、UVB，達到完全防晒，特別適合山區、海邊等高曝晒地區。純物理性防晒霜，含有兩種礦物性防晒劑二氧化鈦（TiO2）、氧化鋅（ZnO）以及穩定有機防晒劑，形成安全性高的雙重網狀結構，無化學成分，含專利研物微粒保護因子（MPI），提供長效保護。一百％對光安定性，防水、防汗，不添加界面活性劑，質感清爽不油膩。

3.妮傲絲翠（Neo Strata）甘草酸凝膠

特別適合：各類膚質

Glycyrrhytinic acid 甘草酸成分有很好的抗炎功效，可以修復受損的肌膚細胞，鎮靜肌膚、消除紅腫、減輕不適，讓肌膚感覺清涼舒適。

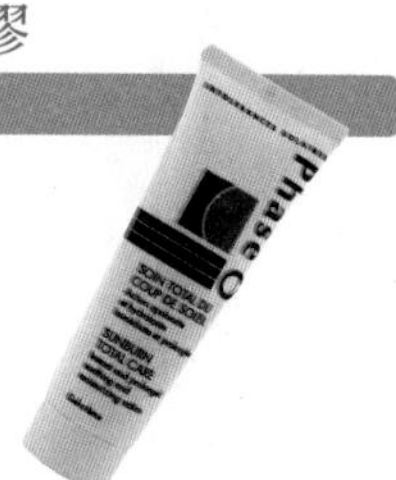

4.艾芙美燕麥特別滋潤營養霜

特別適合：各類膚質

直接提供必須脂肪酸，加速形成皮膚障壁層，抗發炎，抗刺激、止癢，對於異位性皮膚炎、冬季濕疹、老年性的皮膚乾燥，有很好的療效。保濕、滋養度高，可以重建皮膚缺損的架構。

我的毛細孔，看不見了?!

唉！好怕別人貼近看著我的臉，真希望我的毛細孔可以消失、全都看不見……

幫毛細孔做收斂操

「你可以再靠近一點！」

你有勇氣說這句話嗎？

無論男性或女性，普遍都深受毛孔粗大的問題所擾，雖然可以藉著一層又一層的粉底達到毛孔緊緻的視覺效果，但是如果能夠一勞永逸縮小毛細孔，那該有多好?!

以現在的皮膚醫學技術來說，想要擁有一張不油不膩、毛孔細緻的臉，最好的方法就是同時進行「美容急救」和「深層治療」兩種方法，可以讓臉部立即感覺乾爽緊緻，並且以漸進的方式，達到縮小毛孔的終極目的。

＊美容急救

使用收斂性美容產品。

優點：效果尚可，是縮小毛孔的急救法。

缺點：可惜，成效相當短暫，往往只能維持數個小時。

＊深層治療

運用縮小毛細孔的皮膚治療。

優點：成效持久、卓著！

缺點：耐心點，這需要一段治療期。

深層緊實你的毛細孔

「怕什麼？勤勞一點擦化妝水就可以把毛孔收斂起來了。」這種美容界的論調，你還相信？

你也許還記得，在早期，化妝品界還沒有發現縮小毛孔的眞正有效成分時，總是將收斂定義爲「具有抑制皮脂腺分泌、短暫性讓毛孔縮小」，將化妝水與收斂畫上等號，並且強打「清潔—收斂—保濕」的宣傳口號，因此大家普遍相信：收斂，就是收斂毛孔、讓油分分泌收斂一點、鎮定皮膚、化妝水的功能就是收斂……

時至今日，皮膚醫學早已發現能夠縮小毛孔的眞正有效成分，想用收斂化妝水來縮小毛孔的觀念不僅是不合時宜，更是大錯特錯。

選擇保養品時，請先三思「肌膚需要的是減少分泌油分，還是收縮毛細孔」，目前市面上標榜「收斂型」的產品絕大多數都只能略微減少皮膚表面的油脂，並沒有減少油脂分泌，或是縮小毛孔的效用。

縮小毛細孔的有效元素

1. 維他命A酸的外用衍生物：A酸、A醇、A醛。
2. 果酸以及果酸換膚：甘醇酸、酒石酸、蘋果酸、水楊酸。
3. 杜鵑花酸。

這些元素同時具備縮小毛孔、減少皮脂腺分泌、根除粉刺的作用，聽來頗令人振奮！唯一的遺憾是，它們的作用實在有點牛步，即使是醫療級產品也需要耗二～三個月才能看到效果。而且，想要達到眞正的治療效果，必須將這些有效元素融入凝膠、乳液、乳霜中，單純溶解在化妝水裡根本無法發揮眞正的療效。

另外，因爲毛孔周圍的皮膚鬆弛所導致的毛孔粗大等皮膚老化現象，需要再搭配高濃度的左旋維他命C，並且需要一段耐心的治療期，才能見到滿意的結果。

收斂產品大究極

目前市面上常見的收斂美容產品約可分爲三大類，大多只能爲你提供短暫的美麗緊緻，無法眞正改善皮脂腺的分泌狀況，更不能達到縮小毛細孔的效用。數個小時之後，你的臉依然會回復舊觀。

*化妝水

除了標榜保濕的保濕性化妝水，多數的化妝水都是屬於收斂性的化妝水，比較強調去油的功能，如「平衡水」、「柔膚水」、「煥膚水」等。

＊面膜

收斂性面膜，如泥狀面膜、剝撕式的面膜、標榜清潔爲主的面膜，可以去除臉上過多的油分、去角質，甚至可以拔除粉刺，功能聽來頗爲動人。但是要避免過度使用，否則會傷害肌膚。

＊控油產品

目前的控油產品約有三類，一、保濕控油凝膠：這類產品可以爲肌膚補充水分，降低皮膚表面溫度，減少皮脂腺分泌。二、平衡油脂的產品：藉著塗抹的動作，讓T字部位的油分移轉到兩頰部位。三、立即縮小毛孔的控油產品：覆蓋在毛孔上，可以讓毛細孔顯得迷你一點、讓油分分泌少一點。遺憾的是，這些產品也都只有暫時性的效果。

毛細孔的深層收斂操

對付粗大的毛細孔，除了擦擦抹抹，你還有終極的拯救毛細孔方法，讓你的人生不再依存這些欲蓋彌彰的化妝品。

＊果酸換膚

需要五、六次的治療，平日搭配使用高濃度的家用果酸，可以有相當的效果！（市價約：一千六百元～二千元／單次）

＊鑽石微雕

這種新穎的美膚療程，舒服、溫和，又不刺激，可以達到類似果酸換膚的效果！（市價約：二千元～二千五百元／單次）

＊脈衝光

在經過六到八次的脈衝光治療後，能夠感覺到自己的油油臉比較不油了、毛孔也縮小了，效果相當顯著！（市價約：一萬元／單次）

想讓人看不見你的毛孔，不要只做表面功夫，雙管齊下才能得到永恆的美麗！

輕鬆美膚術

選對保養品，好好收斂你的毛細孔：

1.理膚寶水青春每日更新精華

特別適合：各類膚質

日常溫和去除老舊角質，避免青春痘，含有專利LHA® 成分，能有效又安全的去除老舊角質，可以有效抗菌、抗發炎， PH5.5 與肌膚酸鹼值相近。

2.法黎雅皮脂調理霜

特別適合：油性肌膚、青春痘肌膚

針對輕度面皰型肌膚、油性或成人面皰型肌膚，可以柔軟角質、預防粉刺生成，活性去角質成分能夠有效減低面皰的生成，對於已經形成的青春痘，可以預防痘斑，是專門為粉刺問題皮膚所設計。

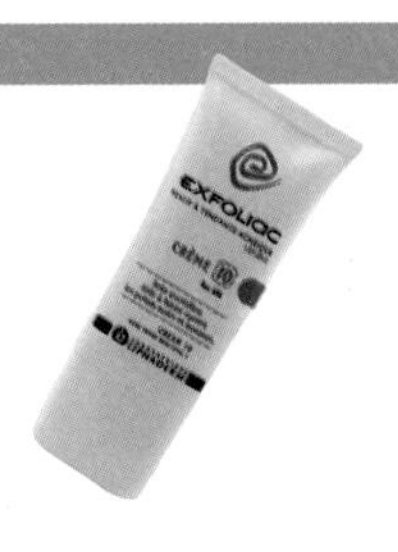

3.妮傲絲翠內酯型葡萄糖酸面霜

特別適合：中性、乾性、敏感性肌膚

滋潤肌膚但不油膩，多重水基，保濕性佳，具有抗氧化作用，防止皮膚老化，作用溫和不刺激，不易引起過敏反應，可增進角質層的障壁功能，撫平細紋，緊實肌膚。

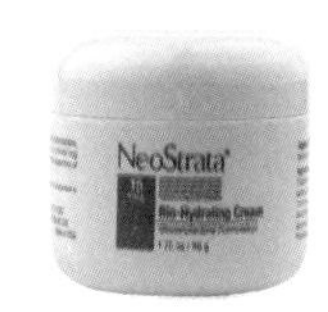

4.DCL果酸深層乳液

特別適合：中性、油性膚質

含有十%甘醇酸，質地柔細的甘醇酸乳液可以幫助遞解老化角質，化解皮膚的粗乾、脫屑現象，讓肌膚呈現光滑細緻的觸感。

沒化妝，也需要卸妝？

空氣這麼髒，是不是人人都需要使用卸妝乳？

「徹底溶解彩妝，而且還能洗掉黑頭粉刺，把臉洗得乾乾淨淨，不留殘妝和污垢……」每次看到卸妝產品推出這樣的廣告文案，我的心就一陣暴跳。一股憤怒油然而生，就像是碰上了騙術。

誰需要使用卸妝產品？

接觸灰塵、髒空氣、隔離霜、防晒乳、乳液就得卸妝？那麼小朋友是不是也應該卸妝……究竟，什麼時候需要使用卸妝產品？

我常常想，在大家愈來愈依賴卸妝產品的現代社會，人們到底是對空氣品質愈來愈失去信心，還是深受美容產品的「教化」？

沒錯，空氣品質是愈來愈差了，但是其實只要使用一般清潔產品就可以提供良好的潔膚效果。唯有下列三種狀況比較需要使用卸妝產品：

1. 有化妝習慣。

2. 工作環境相當油膩，例如加油站、廚房工作者。

3. 使用的防晒油、隔離霜有強調潤飾膚色、抗水或是抗汗的功能。

「當然，如果你覺得自己的資金很『厚』，我也不反對使用」，面對那些堅持卸妝產品多多益善的朋友們，我只能給予委婉的勸說。如果使用卸妝產品能夠讓你心裡好過些，覺得可以讓皮膚和這個髒污的空氣環境做一些對抗，那就使用吧！

前提是一定要選對產品，絕不能超出自己的肌膚負荷，否則清潔力太強的卸妝產品，或是愈用愈糟的油性產品，反而會傷害肌膚。

卸妝油的黑色神話

「好乾燥的臉唷，皮膚愈來愈差了，都是化妝品惹的禍！」如果你把破壞膚質的罪魁禍首歸在「化妝品」，決定再挑一款更強效的卸妝產品，讓自己的臉重建乾淨美麗、水噹噹的肌膚，讓我提醒你一聲：「事實上，讓膚質愈來愈乾的原因，並不只是化妝，錯誤的卸妝方式更是主因。」

讓我們來揭開美容市場裡，卸妝產品的兩大黑色神話：

＊黑色神話一：你真的適合卸妝液嗎？

這類產品號稱就像水一樣「清清如水，清潔力超強」，但是，它內含化學有機溶劑的成分，雖然卸妝效果很好，卻只適合偶爾使用，或者作爲年輕健康肌膚的日常卸妝產品，否則日復一日長久使用之後，會造成極大的傷害，讓肌膚喪失保水性、顯得非常乾燥無光澤，尤其是中性、乾性、極乾性肌膚，甚至連缺水多油型肌膚都會變得乾燥黯沈。

事實上，只有油性肌膚適合使用卸妝液。

＊黑色神話二：你真的適合卸妝油嗎？

卸妝油是近年來的超火紅明星卸妝產品，卸妝效果很不錯，還有業者打著「連黑頭粉刺都一起卸掉」的口號，把卸妝油的聲勢推到頂峰。然而，水洗式卸妝油的強效卸妝祕笈都在於它添加了大量乳化劑。在洗臉過程中，乳化劑會打開我們的毛孔，反而會讓具有致粉刺性的卸妝油的油分流進了我們的皮膚，進而阻塞毛孔，長久下來就成了粉刺的溫床，離青春痘也就不遠了。通常，用大量清水沖洗就可以讓這層油分隨著乳化劑一起沖洗掉，問題是，以我們東方人的毛孔來說（尤其是毛孔較大的油性肌膚、缺水多油肌膚），這層多餘的油分往往順著乳化劑流進毛孔裡了。

事實上，只有乾性、中性、老化肌膚適合使用卸妝油。

到底，粉刺是什麼？

答案是「油脂和角質」，毛囊裡的油脂和角質往往根本是盤根錯節的糾結在一起，所以如果什麼都以油脂來思考，難免會有錯誤的推論。

很多人都知道用油溶油的觀念來卸除水洗不掉的油質彩妝，而推論油也可以溶解毛囊裡面的油，但是，溶解了油，卻沒辦法解決硬梆梆如網狀卡在毛囊內的角質，所以油分再度分泌，和這些角質卡在一起！

最糟糕的是，在門診中常看到以油溶油，溶解了皮膚的油脂出來，但是我們使用的這些卸妝油，卻和角質卡在一起，這些外來的油，有時候比皮膚自己產生的油脂還難處理，漸漸造成更難纏的粉刺和痘痘，得不償失！一般人總以爲卸妝油停在肌膚的時間短暫，應該不至於造成肌膚負擔，但是因爲水洗式卸妝油最大的特點就是添加大量乳化劑，乳化劑可以讓卸妝油在短時間內容易鑽入毛囊，殘留於毛孔內，而醫學早就證實，乳化劑具有加重原有油分的致粉刺性，所以停留時間短暫卻高度致粉刺性，並不難理解。
另外，根據醫學的研究，化妝保養品所造成的粉刺、痘痘，常常需要使用數個月後才能顯現，而停用後也不會自己消失，是造成臨床上許多人用錯產品卻不自知的主因。

卸妝產品大究極

「醫生，你看這些油膩膩的卸妝油是不是阻塞了我的毛細孔，害我長了一堆粉刺」，「一瓶卸妝液就可以融掉我的大濃妝，眞是太神奇了」，在門診中聽聞許多似是而非的卸妝產品觀點，大家都希望馬兒好又要馬兒不吃草，既要卸妝產品清潔力超悍，又不能帶來丁點兒負擔，我不得不說，卸妝產品還眞是令人又愛又恨！
根據醫學統計，化妝產品的刺激性和阻塞肌膚與否，取決於產品本身的種類、濃度和停留在肌膚上的時間。卸妝油加上乳化劑，即使在臉上停留的時間很短暫，仍會在毛孔內殘留油分，清潔力不夠的卸妝乳會導致彩妝停留在肌膚的時間過長……面對卸妝乳的兩難，建議你，還是先依照膚質、妝容，選對卸妝產品，做好正確步驟，卸完妝之後趕快用清水沖洗卸妝乳，或是用溫和的洗面乳好好洗掉卸妝油的這一層油膩，絕對是護膚的不二法門。

卸妝前，請把握四大原則：

1.與其計較哪一種卸妝產品的清潔效果最強，倒不如先瞧瞧妳今天的妝容程度、膚質、膚況，隨機調整卸妝方式，才能卸的乾淨、洗後零負擔！

2.卸完妝，馬上進行洗臉步驟。

3.卸妝產品單純化，避免使用添加任何活性成分（如美白、抗痘、保濕等等）的卸妝產品。

4.讓卸妝產品回歸卸妝的目的，不要對它抱著錯誤的期待，拿它來去痘、去粉刺、去油了。

*化大濃妝的你

請準備：卸妝油。

如果你的彩妝效力持久、遮蓋力極佳、有防水抗汗的功能，如果你今天抹了眼影、塗了睫毛膏、化了一張很明星效果的大濃妝，晚上你絕對需要一瓶清潔力極強的卸妝油，才能徹底對付這些妝彩。目前市面上也有卸妝液和卸妝棉等產品，標榜輕輕一抹，就能抿掉臉上的妝彩、還你一張乾淨的素顏……建議你，使用後最好還是按照正常程序，好好洗個臉，才能讓臉部眞正淨爽。

請注意：

1.健康的肌膚：卸完妝之後，盡快用洗面乳洗去，避免油脂停留在肌膚上的時間過長而造成毛孔阻塞。

2.敏感性、乾性、有傷口的肌膚：這種效力超強的卸妝液，刺激性非常大，絕對不適合使用。

3.油性、易長痘痘的肌膚：請避免使用水洗式卸妝油，以免乳化劑將油帶入毛孔內，讓臉愈洗愈糟。建議選擇無添加乳化劑的卸妝油，例如旁氏冷霜這種相當傳統的卸妝產品，拭去彩妝後，再用洗面乳清洗肌膚，幫你的臉找回零負擔的清爽感。

*化淡妝的你

請準備：卸妝乳或卸妝凝膠。

潤色乳液、蜜粉、隔離霜、防晒粉餅……正是你的標準配備。如果你是個淡妝美人，一瓶卸妝乳液或是卸妝凝膠就已經非常足夠了。卸妝乳是一個相當大衆化的卸妝產品，不像卸妝液會讓中性、乾性等肌膚愈洗愈乾，也不像卸妝油會讓油性肌膚愈洗愈油。卸妝時，沾一點卸妝乳液在手上，直接在臉部輕輕按摩，再以大量清水沖洗乾淨，用乾毛巾輕按掉臉上的水，卸妝工作就OK了！

請注意：
必須用大量清水沖洗乾淨，才能清爽又無負擔。

肌膚類型	卸妝乳	水洗式卸妝油	卸妝液
油性肌膚	可以	不可以	可以
敏感性肌膚	可以	不可以	不可以
極乾性肌膚	可以	可以	不可以
乾性肌膚	可以	可以	不可以
中性肌膚	可以	年輕肌膚不建議 老化肌膚可以	可以偶爾使用
缺水多油肌膚	可以	不可以	不可以

*不化妝的你

請準備：一般洗面乳。

「哇，連黑頭粉刺都洗出來了！」即使是不化妝的人，也常常爲這種徹底清潔的快感而驚豔，但是請小心：卸妝油很可能正是你的致痘元兇。雖然業者總是宣稱只要清水就可以沖淨卸妝油，但是油脂加上乳化劑，仍有機會快速掉入毛孔，無法清洗出來；一旦清潔不當，卸妝油裡的油分反而會阻塞皮膚、導致粉刺。如果擔心肌膚清潔不夠力，一週使用一次卸妝乳液或卸妝凝膠就已經非常強效了。

輕鬆美膚術

選對產品，好好卸個妝：

1.艾芙美燕麥潔膚乳

特別適合：敏感肌膚、青春痘肌膚

無皂基，不須水洗，非常適合外出使用。只要以指腹輕輕按摩，彩妝和污垢脫落後，再以面紙輕輕擦拭就完成卸妝清潔了，也可以用溫水沖洗乾淨。洗後，肌膚感覺鎮靜、舒緩、保濕，並且有抗發炎功效。

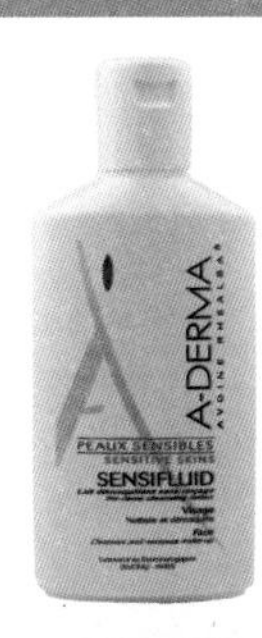

2.理膚寶水多容安清潔卸妝乳液

特別適合：各類膚質

含有 La Roche-Posay 八十四%溫泉水，質地溫和，可以徹底清潔臉上的彩妝和污垢，眼部、臉部、唇部的清潔卸妝，一次搞定。不含香料、乳化劑，讓肌膚清爽不油膩。

3.雅漾修護潔面乳

特別適合：敏感肌膚、青春痘肌膚

含有九十六%雅漾活泉水，不含香料、色素、油脂，不用水洗就可完成清潔，並且能調節油脂分泌、舒緩發紅發炎、抑制細菌增生，特別適合敏感肌膚、青春痘肌膚。

誰需要去角質？

聽說去角質對皮膚很好，如果每天都去角質是不是就可以避掉青春痘和粉刺？

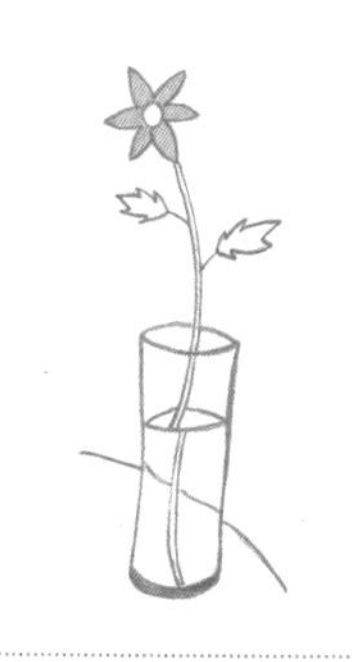

定期去角質，肌膚水嫩嫩

先來好好認識我們的皮膚！

我們的皮膚由外而內，分為表皮層、真皮層、皮下組織，其中，又以表皮層內的「角質層」位於皮膚最外層。角質層每隔約二十八天就會自然代謝脫落，排列愈整齊的角質層，代表皮膚愈是正常健康。可別小看這一層薄薄的角質層了，它肩負保護肌膚、鎖住水分的關鍵性任務呢！

水能載舟，亦能覆舟；同樣的道理，當皮膚因爲老化、身心壓力、生活環境中的種種傷害而阻礙新陳代謝時，角質層就會排列不整齊，無法再進行自然的代謝脫落過程。如果老廢的角質層漸漸堆積，甚至黏附在新生的角質層上面，平時負有保護功能的角質反而破壞了皮膚的保水功能，讓臉色粗糙萎黃、頓失光澤。

這時，就要靠你的雙手親自爲皮膚去角質，讓它擁有正常的新陳代謝！

小小的去角質動作，可以讓臉色容光煥發起來：

*肌膚更亮

臉上堆滿層層的老舊角質，你的面子當然會臘黃、沒光采，適度去角質可以讓皮膚更水亮。

*肌膚較白

老舊角質含有大量的黑色素，掃除老舊角質可以讓皮膚回歸該有的嫩白原色，想美白的你，當然更要定期去角質。

*肌膚細滑

不良的新陳代謝會形成老舊角質，而老舊角質又會影響肌膚的正常代謝，造成肌膚代謝的惡性循環。唯有徹底去除老廢角質，才能打破這個惡性循環，讓肌膚細緻光滑。

*肌膚健康

當厚厚的老舊角質層擋在臉皮上，就算你塗上再昂貴、再有效的保養品都會形成浪費，減低讓營養成分眞正進入皮膚深層的機會。

*預防粉刺

老舊角質堆積在毛囊口，會阻塞毛孔、形成粉刺，定期去除老舊角質，可以預防粉刺生成（但是這招無法對付荷爾蒙引起的粉刺和已經生成的粉刺）。

去角質的好處多多，你可以選擇花點錢請別人爲你做臉部SPA，或者，只要選對商品，在家就可以自己動手去角質，效果一樣好！

「那麼，每天去角質是不是就可以徹底保持臉部乾爽、揮別油面和青春痘的人生夢魘？」我常常聽到許多人以無比期待的口吻，詢問這個問題，希望可以藉著簡單的去角質步驟告別肌膚的所有苦惱，讓肌膚水嫩新生。

事實上，我還是秉持那句老話：過與不及都不好！

角質層是皮膚的城牆，定期修築城牆可以整頓它的防禦性，更能抵抗外侮，保護皮膚免於外界傷害、防止水分流失，但是過度頻繁的去角質，只會鬆垮城牆的堅實性，讓肌膚乾澀，甚至會有搔癢、發紅、敏感等後遺症。

想要爲皮膚修築城牆，請遵守三個要訣：

＊定期而適度

適度去角質可讓肌膚煥采，過度去角質會讓肌膚受傷。以健康肌膚來說，平均一週做一次去角質即可，若感覺肌膚非常乾燥，必需拉長去角質的週期。

＊健康的肌膚才能去角質

肌膚受傷時絕對禁止去角質，否則會讓傷口更加惡化。臉上長有粉刺和痘痘時，絕對禁用磨砂膏型的去角質產品，以免惡化痘痘。

＊產品精簡化

不宜重複使用過多的產品，以免去角質過了頭。可以根據自己的膚質選擇強弱適度的產品。

去角質產品大究極

目前市面上的去角質產品依型態可區分爲：磨砂膏型、面膜型、酵素型、乳液型、化妝水等類型。一般來說，在相同的成分和濃度之下，面膜型和酵素型的刺激性較大，不適合天天使用，最佳的使用週期爲一週一次。

以成分來分，按照成分的刺激性，由高到低依序爲：

1.磨砂膏：磨砂膏內含有顆粒分子，通常是鹽、細砂、柔珠等等成分，雖然價格較便宜，但是刺激性太大，容易搓傷你的臉，比較適合用於身體和四肢（去角質效果第六名）。

2.A酸：第一至第三代製品都屬於醫師處方用藥（去角質效果第一名）。

3.果酸：屬於高濃度成分的醫療通路保養品，常見的有，甘醇酸、檸檬酸、水楊酸等等（去角質效果第二名）。

4.杜鵑花酸：醫師處方用藥（去角質效果第三名）。

5.A醛、A醇：市面上許多抗老保養品中都含有這個成分（去角質效果第四名）。

6.酵素：常見於面膜或是粉末狀洗面乳產品中（去角質效果第五名）。

7.酸類製品：一些名不見經傳的××酸，療效並不明顯，宣傳效果遠高於實際療效（去角質效果第七名）。

輕鬆美膚術

選對產品，幫臉部去角質：

1.雅漾舒活去角質凝膠

特別適合：各種膚質，尤其是青春痘肌膚

低含量水楊酸鹽的去角質功能，可以有效清除阻塞的毛細孔，預防粉刺、青春痘及皺紋形成。每週做一次深層的肌膚清潔，完全清除毛細孔和死細胞，徹底掃除黑頭粉刺、廢物及髒空氣分子。

2.法黎雅淨膚磨珠凝膠

特別適合：油性、青春痘肌膚

去除老廢角質，改善粗糙不平的膚況，讓肌膚重拾潔淨平滑。並且調和皮膚色澤，使皮膚再次恢復純淨及柔嫩光澤。

面膜當真多多益善？

真的嗎？一天一張面膜，就可以幫臉重新找回青春？
這真是太神奇啦！

的確很神奇，美容產品往往用這麼一句話，就說中了萬萬千千男男女女們的心底渴望：人人都希望自己的臉永遠保持水水嫩嫩。因此，面膜產品就在人們的心中成了保濕的聖品、救急品，甚至，許多人都對著廣告片依樣畫葫蘆，每天敷一片面膜，期待自己的肌膚從此嬌嫩欲滴。

當肌膚擁有飽滿的水分，就是肌膚最美的時候了，我們都希望：「如果水分能夠一直停留在臉上就好啦！」就像小朋友的肌膚一般，那種水水嫩嫩、白裡透紅的好膚質，任誰看了都心生嫉妒。一般說來，小朋友的皮膚角質層擁有很好的保水性，隨著年紀增長，底層的保濕性狀況還不壞，但是皮膚表層的保水性就略遜一層了，因此，有時可以藉著去角質的動作，去掉表層的乾燥角質，讓皮膚重現水嫩狀態。

面膜備受美容界推崇的一大原因，在於它能夠迅速提供水分，讓肌膚很快就變得水嫩明亮，而且不會在臉部留下黏膩感；相對的，乳液難免都會有些黏膩。塗上保濕型化妝水，就像是爲臉部提供一盆水；敷上了面膜，就像是爲臉部提供一缸水，一缸水當然比一盆水更慢蒸發完。但是，一缸水畢竟也有蒸發殆盡的時候，也就是說，面膜並不能爲肌膚提供深層而有效的保濕效果。

目前市面上的面膜主要分爲兩大類，效能各異，但是同樣都要避免過度使用：

保濕面膜

*美膚效果：讓臉水嫩嫩

保濕面膜討喜的原因在於，它和保濕精華液一樣可以提供大量的水分，減緩水分蒸發，把大量水分留在臉上。

＊加強效果：立刻擦乳液

如果你使用的是水性的保濕面膜，例如，膠原蛋白面膜、維他命B5面膜、玻尿酸面膜，在敷臉後擦點乳液，可以牢牢鎖住水分。

＊過度使用的後遺症：濕疹

有些面膜產品爲了求效果，會添加維他命C、果酸、甘醇酸或一些其他成分，這類面膜要避免敷整晚，也不可以每天敷，否則會過度刺激皮膚，反而造成濕疹。最好的使用頻率是一週一到兩次，如果面膜特別強調速效，每週最多使用一次就可以了。

泥狀面膜

*美膚效果：清新你的臉

泥狀面膜可以吸除肌膚多餘的油分，具有強效的清潔、去角質功效，使用後感覺肌膚變清新了。

*加強效果：乳液同樣不可少

就算是夏天，敷完面膜最好能立刻抹點乳液，畢竟面膜是不認人的，我們並不知道去角質的程度是多是少、是深是淺、是否去得過多了？洗去泥狀面膜後，抹點乳液，爲肌膚增強保護。

*過度使用的後遺症：乾燥

泥狀面膜的最佳使用頻率是一週一次，過度的去油、去角質只會讓肌膚變得乾巴巴。

輕鬆美膚術

選對產品，好好敷個臉：

1.護蕾（Ducray）淨膚三效調理面膜

特別適合：各類膚質，尤其青春痘肌膚

只要花五分鐘敷個臉，就可以同時完成深層清潔、收縮毛孔、水合保濕、去角質的美膚動作。弱酸性配方可以酸化皮膚、抑制細菌的增生，強烈的吸附特性可以深層清潔皮溝中不易清除的污垢，吸收分泌過量的皮脂減少粉刺的生成，讓肌膚感覺清清爽爽。

2.DCL舒緩面膜

特別適合：各種膚質，尤其青春痘肌膚

含有甘草酸、蘆薈、香薄荷等成分，深具舒緩冰涼的效果。如果肌膚有曬傷、紅腫敏感、疲倦的狀況，清潔臉部後使用，可以讓肌膚好好休息放鬆。

3.理膚寶水全日密集修護面膜

特別適合：各種膚質

含有優質的理膚寶水溫泉水，質地相當溫和，保濕度極佳，四季都可使用。

走出美容商品的廣告迷霧

膠原蛋白和肉毒桿菌聽來都很讚，到底我該用哪個？用外敷還是注射的效果比較快？

膠原蛋白是救膚聖品?!

曾經有位媽媽帶著雙十年華的女兒來看診，席間，她不斷對女兒大力鼓吹吃豬腳的好處：「可以補充膠原蛋白，讓臉很有彈性，人家報章雜誌都有說。」

「但是，食物又沒有智慧，怎麼知道該前進到皮膚的第幾層呢？」我提醒她。

「所以，我吃了那麼多豬腳和雞腳，都沒用？」她垂下眼，遺憾的說。「至少，你營養很好啊！」她的女兒和我一起笑了開來。

我們的皮膚分爲表皮層、眞皮層和皮下脂肪，表皮層包括表皮和基底層，基底膜則位於基底層下方，是表皮層和眞皮層的橋樑，僅五十~九十mm厚，主要組成成分爲第四型膠原蛋白，它負有傳送養分、排除老舊廢物、維持表皮與眞皮間的構造，使皮膚保持正常的責任。

簡單的說，體內的膠原蛋白是讓皮膚眞皮層維持立體感的重要纖維。因此許多人都對它寄予厚望，希望能藉著它讓肌膚重新年輕一次，將膠原蛋白視爲換膚救膚的聖品。

只是，脆弱的它很容易隨著惡化的環境、生活壓力、年齡增長而流失，讓臉顯得鬆弛、沒彈性。

目前補充膠原蛋白的方式有三種：

＊內服

坊間流傳著多吃雞腳和豬蹄筋可以補充體內的膠原蛋白、維持皮膚的彈性。理論上，豬蹄筋含有豐富的膠質，乍聽之下，這種說法似乎是正確的，問題是我們的腸胃到底能吸收多少膠質？這些膠質都能精準地滋補我們肌膚的正確位置，或者，只是讓身體增加了更多脂肪？

＊注射

直接注射膠原蛋白入皮膚，是最立即有效的方式，但是，成本相當高，一劑膠原蛋白針價格約爲一萬至一萬五千元，並且只能維持三～六個月，更得定期注射才能維持效果。至於血管注射方式，如同口服，並無療效。

＊外用

藉由塗擦化妝品、敷面膜的方式直接補充膠原蛋白，雖然手續簡單方便，價格遠低於注射膠原蛋白，但是也必須定期使用，才能維持保濕功能。

膠原蛋白屬於消耗品，不論使用內服、外用或是注射的方式，都必須定期補充，而且膠原蛋白是大分子完全無法穿透肌膚，更不可能到達眞皮修補塡平任何物質。

說穿了，保養品中的膠原蛋白成分只是具有高度的保濕作用而已，正如同在臉上擦了很滋潤的油脂，可以讓肌膚瞬間柔嫩光澤、撫平皺紋，但是都只是暫時性的效果，短則幾分鐘，長則數小時，根本不具長效。膠原蛋白擁有尊「貴」的身價，除了廣告炒作的因素，其實是因爲它屬於水性保濕劑，清爽不油膩，讓肌膚感覺零壓力！

美麗神話現形記

你一定也聽過這些驚人的美容神話：

「膠原蛋白是眞皮結締組織的主要成分，可以穿透肌膚，具有修補凹洞、塡補肌膚紋路、撫平歲月痕跡的功效，是抗老除皺的護膚聖品」

「我們產品提供的活細胞可以提供肌膚細胞，讓肌膚回復年輕」

「將吃的維他命C抹在臉上，可以達到維他命C的美白效果」

「產品含有DNA可以提供細胞DNA，讓細胞回復正常」

「把痘痘的藥丸直接塗於痘痘上，效果更好」

「擦抹肉毒桿菌，可以除皺、活膚，讓臉部回春」……統統是謬論！

在專業皮膚科醫師的眼裡，這些邏輯就像是「把肌膚當作一組樂高玩具，這裡缺了什麼、壞了什麼、需要什麼，就將那個東西直接塗抹、裝塡進去。」

只是，我們的肌膚眞的能夠吸收？

就算肌膚吸收了這些營養素，它眞能到達需要它的位置，發揮它應該有的作用？

別把你的肌膚看成一片石蕊試紙，以爲只要沾上了任何營養素，就可以徹底滲透肌膚內，想想看，假使肌膚如此善感，那麼空氣中的細菌、灰塵、黴菌、廢氣，甚至是病毒不就大舉入侵我們的肌膚內？

其實肌膚比我們想像中的「堅強」多了，它是我們的天然障壁，可以阻絕外物的進入，保護我們免於受到外侮。同樣的道理，想藉著塗抹保養品來滋養我們的肌膚，也不一定能夠如願以償。

舉個例子，醫學早已證明維他命C對肌膚有美白的良效，但是直接在臉上塗擦富含維他命C成分的保養品，並不能顯著的美白緊實肌膚，惟有靠特殊的維他命C製劑才能深入肌膚，達到美膚效果。

保持理智，別被美容產品牽著走囉！

第四章

美白篇

美白產品完全攻略版

愈新的美白產品愈好？漢方的、全天然成分、最新科技研究……到底，我該如何選擇？

愈新的美白產品愈好？

每到春末，各家美容保養品廠商，無不競相猛推美白產品的廣告攻防戰，刺激著男男女女的美白欲望。

或者，他們只是在挑逗你的荷包?!

目前經過醫學證明眞正有效的美白成分爲維他命C、麴酸、熊果素、輔助性的甘草萃取物，以及幫助代謝的果酸、A醇，以及對苯二酚（hydroquinone）、杜鵑花酸及一些植物萃取物等老面孔。對苯二酚是一種藥物，必須由醫師處方才能使用，至於其他的成分，則可見於各專櫃、開架及醫療通路品牌的保養品。

事實上每年全新推出的有效成分並不多。坦白說，有些當季推出的產品其實未必是最新研發出來的美白利器，美容保養品市場裡常見的行銷噱頭大致不離這兩種狀況：

1.舊藥新裝法：將舊有的成分以不同的包裝形式出現，例如，一直是分開販售的防曬和維他命C兩種成分，現在改成套裝式販賣，業者號稱一種是白天用，一種是夜晚用的全新美白產品。

2.排列組合法：將這些有效成分重新洗牌，再次排列組合就是一個新產品囉！例如，去年推出維他命C加麴酸的美容產品，今年改成果酸融入維他命C，雖然形象變了，但骨子裡仍然是這些熟面孔在做交互替換，並沒有什麼新花樣！

與其膜拜一罐全新產品，寧可守著眞正有效的成分，才更爲實際！

美白產品的四大陷阱

「只要有效美白，不要白花錢！」想要擁有不敗的美白效果，請先跳脫過往的失敗美白經驗：

＊陷阱一：不了解自己的膚質

你是黑美人、黃美人還是斑點美人？你想要變的更白？還是希望膚色紅潤？你的美白計畫有哪些？不同的膚質需要不同的美白成分，也需要不同的美白步驟。

＊陷阱二：保養品的成分標示不明

想讓皮膚變白的方法有很多，包括防晒、去角質、減少黑色素的製造、果酸、維他命C、麴酸和熊果素等，每一種成分的原理都不相同，但是市面上的產品往往一逕標示爲「美白」，略有點商業道德的廠商可能會含蓄的寫著「可以讓你愈來愈白」。在不了解產品成分的情況下，你很可能撒下大錢買了數瓶的美白產品，結果全都是防晒，或者全都是去角質功用，美白效果當然欠佳。

＊陷阱三：成分濃度標示不清楚

你對商品的了解有多深，光是掌握它的成分就足夠？事實上，不同濃度的成分對肌膚會產生不同的作用，以果酸爲例：三％以下的濃度，有保濕的功能；三％以上具有美白的功效；十％以上具備縮小毛孔的功能……因此，商品如果只標示「果酸」兩個字，你如何辨別它的實際功效？網路上曾經言之鑿鑿某家知名品牌的化妝水含有毒溶劑，其實都是因爲我們對濃度認識不清楚所造成的誤解。

＊陷阱四：美麗的謀殺品——汞、類固醇

爲了美，爲了白，許多人可說是無所不用其極，問題是：這些東西是否有副作用？曾經接觸過幾位患者，因爲貪圖快速美白皮膚而走險，使用了含汞或類固醇的美白保養品，反而「變臉」造成皮膚的永久性傷害。

衛生署公告核可，真的有效！

使用皮膚科醫學證明及衛生署核可的美白成分，可以讓你的美白大業眞正邁向成功的坦途。

建議你，如果購買市售美白保養品（非醫療通路），請牢記這三種美白的主要成分和濃度，選購產品時一定要睜大眼睛，認明它們就對了！

＊美白利器：維生素C衍化物

Magnesium Ascorbyl Phosphate 三%（維生素C磷酸鎂複合物）和 Ascorbyl Glucoside 二%（維生素C醣甘），主要作用在於抑制酪酸酶的活性（Tyrosinase）以減少黑色素的形成。其中，左旋維他命C同時具有抗氧化、緊實肌膚及美白的多重功效。

＊美白利器：麴酸（Kojic Acid）

在釀造日本清酒中意外發現的美白利器——麴酸，可以透過箝制皮膚中的銅離子，抑制酪胺酸酶製造黑色素、排除麥拉寧色素，進而達到美白淡斑的效果，經醫學證實確實具有美白效果。目前衛生署規範保養品中的濃度必須在二%以下，但是日本衛生主管機關厚生省，以大量食用可能致癌危險性爲由，列爲化妝品觀察成分。

＊美白利器：熊果素（Arbutin）

自一種樹葉及西洋梨、小山梨等水果萃取的熊果素，美白原理和對苯二酚頗為類似，都是透過抑制酪胺酸酶的活性，以減少黑色素的形成。熊果素的結構比對苯二酚多帶了葡萄糖分子，所以刺激性較低，可以出現在一般市售美容保養品中。目前衛生署規範保養品中的熊果素濃度必須在七%以下。

美白產品大究極

挑選美白保養品時，先仔細瞧瞧產品的有效成分、濃度和主要作用，只有大喇喇寫著「美白」兩個字的保養品，如何能讓人信服？

任何美白產品的功效，都有其限制，雖然可以抑制黑色素形成、加速黑色素代謝，讓變黑的皮膚漸漸白回來，卻不能改變天生的膚色，除非使用有害的漂白物質。警醒點，只認識「美白」兩個字的消費者，絕對無法挑選到符合自己需求的美白保養品！

目前市面上所標示的美白產品，大致可分下面六大類：

＊防晒類

優點：想「白」？做好防晒就事半功倍了！防晒能阻止陽光誘導麥拉寧細胞進一步製造黑色素，防晒做不好，再如何花心思塗抹美白保養品都是徒勞。

缺點：時間能夠爲你證明防晒的效果，但是短期間內卻無法看出成效。

＊果酸類

優點：果酸能夠快速代謝已經生成的黑色素，使用效果依序爲：果酸換膚＞醫療通路的果酸乳液（濃度十％）＞市售保養品的果酸乳液（濃度三％）＞將果酸加在洗面乳、化妝水中。

缺點：選購時一定要注意濃度的問題，三％以下濃度的果酸幾乎沒有任何美白效果。

＊去角質類

優點：角質層是屬於表皮層的一部分，因此也含有由麥拉寧細胞移轉過來的大量黑色素，適度的去角質能夠代謝掉已經生成的部分黑色素，使膚質明亮。

缺點：因爲果酸也含有去角質的功用，如果將去角質產品與果酸兩者合併使用，會對皮膚造成太大的刺激性。

＊植物、漢方、草本風

優點：標榜植物、漢方、草本，強調取材於大自然的天然保養品，頗能打動消費者的心。主要含有大豆萃取物、虎耳草、甘菊萃取物等，可以減少黑色素的生成。

缺點：因爲商品未完全公布內容物的有效成分和濃度，對消費者而言不太具有十足的保障。

＊按摩霜

優點：增加臉部的血液循環，可以預防老化和皺紋生成。

缺點：老實說，心情減壓的療效遠遠大於美白作用。

＊保濕、潤膚乳液

優點：乾燥肌膚往往顯得粗糙、暗黃、沒有光澤，塗抹適度的保濕滋潤乳液，可以增加肌膚的光彩度，讓臉亮起來。

缺點：如果你的肌膚處於中性或油性的狀況，這類保濕、潤膚乳液則完全不具任何美白效果，反而增添長痘痘的困擾。

美白不是你的階段性目標，而是一件良好的生活態度：養成全方位防晒的習慣，耐心持續使用一至兩種產品，你的肌膚才能長年永保白淨無瑕！

輕鬆美膚術

選對美白產品，邁向美白之路：

1.妮傲絲翠——高效雪顏凝露

麴酸棕櫚鹽及左旋C配方，可以促進膠原生成、緊實肌膚、撫平細紋，更能夠抑制 Tyrosinase ，防止黑色素產生、還原美白、淡化色斑、減少發炎後色素沉澱，讓肌膚重拾白皙亮麗。

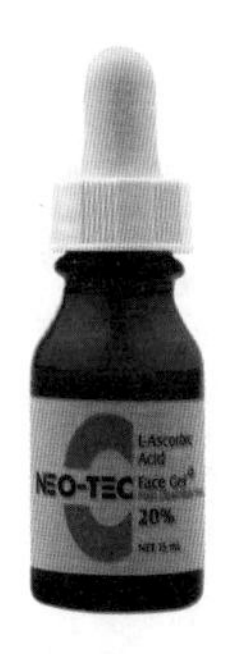

2.杜克左旋C高濃度精華液20

擁有極穩定、高濃度而且可以進入肌膚的左旋維他命C，以最佳的濃度製造而成，提供皮膚極大量的維他命C，刺激膠原蛋白生成、消除細紋，擁有最佳的抗氧化能力，保護肌膚免於自由基傷害，可以延緩老化。只要直接塗抹於皮膚，便能直接進入皮膚，發揮抗氧化作用。

3.杜克左旋C色素修復加強劑

這是一款升級的美白製劑，含有熊果素配糖體，可以阻礙麥拉寧色素囤積皮膚表面所造成的色素沉澱，維持肌膚細緻，促進血液循環，緩解疲勞的皮膚，有助於消除黑眼圈。擁有數種活性原料，藉由協同作用達到最佳美白效果，讓肌膚看起來更年輕。

醫療通路保養品，一探究竟

明明我用的是知名的高級保養品，為什麼效果竟然輸給一個名不見經傳的醫療通路保養品？

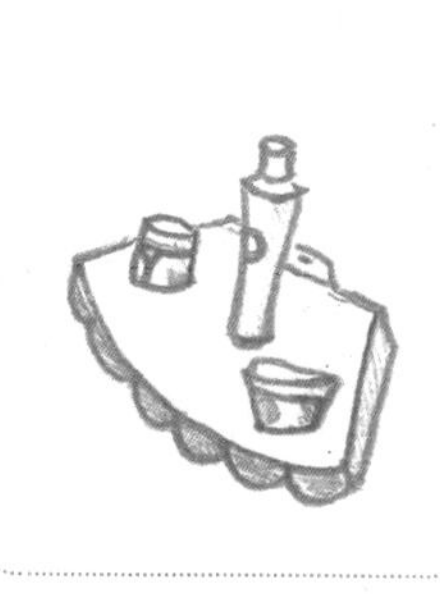

醫療通路保養品有神效？

在我身邊有許多這樣的朋友：

爲了留住青春，他們對於花錢買保養品向來是出手闊綽，什麼錢都肯花，尤其對於知名度越高的當季商品，更是砸下大筆金錢投資。嘗試過昂貴的直銷美白產品、注射膠原蛋白、做大腸水療，甚至花個幾十萬元坐飛機到瑞士去打胎盤素，他們一直深信：「貴一定比較好！這些廠商既然敢花大錢做廣告，一定是推出了最有品質保證的好商品」。

沒想到，他們才轉個身，竟然發現隔壁那個皮膚姣好的同事原來只花了一、二千塊買罐醫療通路保養品，就可以擁有神奇的美膚療效，令他們大為驚異：「醫療通路保養品究竟是什麼？為什麼效果這麼神？」

醫療通路保養品的「神效」並不是因為任何品牌想藏私，而是純粹關於成分濃度與品質的問題。舉個例子：衛生署規定任何市售品牌的維他命C濃度必須在三%以下，而醫療通路保養品則可以達到二十%的濃度，這也就是醫療通路保養品使用效果佳的原因。

美容品牌保養品的黑色神話

＊黑色神話一：標榜「醫師表示不致粉刺性」

問題是，完全沒有說明是哪位醫師的言論，再者，單單一位醫師的言論難免有失客觀，欠缺代表性。

＊黑色神話二：標榜「經各大醫學研究中心證實」

問題是，並沒有說明是哪家醫學中心證實，再者，只交代產品有送交醫學測試，卻對測試結果隻字未提。

＊黑色神話三：標榜「無油脂成分」

問題是，產品只標示「non-oil」，也許是指不含有動物油或是植物油，但是也許含有礦物油呢！

＊黑色神話四：文字美麗，卻語焉不詳

一般市售美容品牌往往會有標示不清的問題，例如，同樣是標榜「萃取人蔘」，萃取五％和十％的人蔘，效果就差了許多，從根部或枝段萃取，效果也差

異頗大。

面對美容界的種種黑色神話，一個不小心，消費者就會在這股廣告漩渦中散去了大筆金錢。

過去，大家多認爲皮膚科醫師是不食人間煙火的人種，只懂得醫療，不懂得保養品，因此完全信任美容師對保養品的說詞。其實，皮膚醫學界與美容界合作研發保養品已有多年的歷史，爲了打破「保養品只能作消極的護膚功用」的觀念，每當醫學界研發出最新的有效成分，就會交由美容業生產相關保養品，希望能夠達到有效改善皮膚膚質、治療皮膚問題的目標。這也就是醫療通路保養品的原由。

醫療通路保養品通常都有公開的實驗數據支持，效果比較明確，有效成分的濃度較高，而且價格合理，是比較經濟實惠的選擇。當然，產品的包裝、質感以及行銷手段，自然是比不上專櫃品牌。因爲通路有限，再加上沒有大規模的廣告撐腰，一般民衆比較難接觸到這類商品，通常都是藉由皮膚科醫師的指導推薦，或是使用者的口耳相傳，而受到消費者的青睞。

如何使用醫療通路保養品？

目前的醫療通路保養品主要可以分為兩大類：

＊含有高濃度的有效活性成分

常見的品牌有：妮傲絲翠、妮新、立得美、法黎雅、DCL、巴爾桑波等等。

優點：含有高濃度的有效活性成分，例如果酸、維他命C等等，使用效果當然比一般市售保養品更好！

請注意：
產品成分的濃度高，相對地可能造成的刺激性也較大，使用時必須請醫師檢視是否自己適合使用，同時必須減少使用不必要的刺激性產品（例如去角質、磨砂膏等等）。

*低敏感度的保養品

常見的品牌有：舒膚特、雅漾、理膚寶水、艾芙美等等。

優點：特別適合肌膚處於敏感狀態時使用，成效佳，不會引發肌膚過敏，適合長期使用。這類保養品不含容易導致過敏的香精和香料，雖然外型不討喜，無法給予使用者芳香愉悅的感受，卻特別適合敏感性肌膚和異位性皮膚，或是搭配高濃度醫療通路保養品一起使用。尤其，剛接受果酸換膚、雷射美容後的肌膚，最需要使用這種低敏感度的保養品。

請注意：

爲了減低致敏感度，這類產品大多不會添加活性有效成分。

有鑑於消費者對醫療通路保養品的信賴感，目前已經有許多藥妝店開始販售這類產品，但是因爲缺乏專業皮膚科醫師的指導使用，仍舊有可能出現使用風險，倒不如說這類商品是「號稱有醫療產品特色」的產品。建議你，由專業醫師針對個人的膚質提出建議，才能得到眞正安全有效的美膚效果，否則即使醫療產品再怎麼優秀，也會因爲使用方法不對、使用在不適合的膚質，而效果不彰。

除了選對產品，更重要的是持之以恆使用。我們的皮膚至少需要二十八天才能代謝過多的黑色素，日後也需要持續抑制黑色素生成，才能延續美白的效果。美白無法一蹴可幾，與其不斷追求更新、更好的美白保養品，不如耐心持續使用一、兩種產品，配合完善的防晒措施，效果將更事半功倍。

一般而言，美白術式的美膚效果會優於醫療通路保養品，而醫療通路保養品的效果更優於市售保養品。如果你對市售保養品太低、太慢的美白效果感到不耐煩；如果你想以最少的金錢換得最大的使用效益；如果你在意的是使用產品後的效果，而非使用時的愉悅感……那麼，醫療通路保養品將爲你提供另一種選擇！

雀斑姑娘的美麗與哀愁

面對這一臉雀斑，到底哪一種保養品能讓我揮別小甜甜的綽號？有沒有快速有效的好方法？

「有一個女孩叫甜甜，從小生長在孤兒院……」，嬌美可愛的小甜甜讓大家對雀斑存有不少浪漫的遐想。但是，在現實生活中，白皙無瑕的肌膚才是大家的最愛，很少有人能接受自己的臉上滿布著點點雀斑。

誰會長雀斑？

除了遺傳，雀斑和膚色有很大的關係，白皙皮膚是雀斑最容易找上門的膚色。

1.雀斑的顏色：介於淡褐色與咖啡色之間，在四季分明的國家，雀斑會隨著日照強弱的變化，而明顯的變深或變淡。

2.雀斑的體積：就像是鉛筆心點在臉上的大小。

3.雀斑的數量：也許只有幾顆，數量多的話則可以達到幾百顆，細細碎碎散布在臉上。

4.雀斑的生長：通常，約在小學或國中時就已經開始冒出雀斑的蹤影。

勤擦塗抹無濟於事

嫉「斑」如仇的你，如何打贏這一場除斑大仗？根據經驗顯示，在這一場除斑戰役中大跌一跤的人，失敗原因大多不離這三種狀況：

1.誤解了自己的斑點：你的斑點是晒斑、雀斑還是發炎後的黑色素沈澱？

沒有對症下藥只會讓你捶胸，徒負了時間和金錢！

2.追隨別人的腳步：因為除斑心情太急切，每當身旁的人和你「呷好道相報」時，就一股腦盲目投入。問題是你們的致斑點可能南轅北轍呢！

3.迷信保養品廣告：只要產品說明書和廣告裡標榜著「美白」、「淡斑」等字眼，就以為遇到了斑點剋星，活生生地讓自己成了文宣戰裡的冤大頭。

許多患者因為對雷射除斑不了解，又被一些不正確的流言所牽絆，因而對雷射除斑裹足不前，只好濫買一些動輒七、八萬的直銷美容品來勤擦塗抹，更有不少人花了數十萬至數百萬的金錢誓言除斑到底。結局？當然是黑斑依舊在，錢去樓已空！

雀斑不可能單靠隨便擦抹幾罐乳液就消失不見，市面上林林總總的美白保養品，充其量也只能略微淡化斑點，想要讓斑點徹底消失無蹤，實在難如登天。

甩掉雀斑姑娘的封號，並非難事，有些人出門前猛抹遮瑕膏、塗上厚厚一層粉底，也能蓋住這些頑固的小黑點；如果你想要眞正告別它們，請耐心付出一段治療時間，用時間換取美麗。

目前，治療雀斑的有效方法爲以下三類：

＊防晒

優點：最經濟實惠的方法，不僅能夠預防新的雀斑生成，也可以淡化已經冒出來的雀斑。

缺點：太耗時了，而且只能達到淡化的效果，不能使已經長出的雀斑徹底消失。

療程費用：購買防晒乳的費用從百元到數百元不等。

＊色素斑雷射

優點：效果極佳！通常只要進行一次的色素斑雷射療程，就可以消滅所有已經長出來的雀斑。雷射後再搭配確實的防晒工作，就可以讓你永遠揮別雀斑。另外，對於晒斑和東方女性常見的顴骨母斑，雷射也能發揮很好的效果。

缺點：雷射之後，肌膚會短暫出現返黑的現象，膚色較深的人在雷射後通常會出現一至三個月的返黑期，膚色淺的人大約會有爲期一週的結痂期，只要耐心擦拭美白產品或是醫師開立的去斑藥品，就可以縮短返黑期間。

療程費用：一個斑點約一百至三百元，依是否收取開機費（三千元～○元）、斑點的數量多寡而有差別，整體費用大約爲三千元到一萬元不等。

＊脈衝光

優點：使用脈衝光去除斑點，不會有傷口或是皮膚返黑的缺點，可說是現代人的最愛。不論是對於雀斑、老人斑和晒斑，效果都很優！

缺點：脈衝光不像雷射去斑可以一次解決所有的斑點問題，必需施行多次才能達到令人滿意的結果，而且所需費用較高。另外，對於顴骨母斑和太田氏母斑，脈衝光的效果並不好。

療程費用：全臉去斑，單次約一萬元（不計發數）。一發大小約8×34mm，一發約一千元。大約共需使用三至五次，可解決斑點問題。

假性斑點——發炎後色素沉著

不論是遭蚊子毒咬過的痕跡、痘痘肆虐之處、跌倒或手術過的地方，都會有皮膚發炎後的膚色變黑狀況，皮膚上的這些黑點們讓人像隻小花貓，一點都美不起來。

告別這些皮膚污點，你可以試試這三個方法：

1. 防晒：良好的防晒、避免肌膚被陽光照射後受到進一步的傷害，再加上耐心的等待，大約一個月或是數年之後，就可以使黑色素自然地褪去。

2.保養品：如果想盡快掃除這些污點，可以請皮膚科醫師依照肌膚發炎程度，使用外用藥物或是美白產品、果酸、果酸換膚等等來加速黑色素消褪。通常，肌膚的黑色素沈著並不適合使用雷射。

3.脈衝光：脈衝光對發炎後色素沈澱也有一定的效果，但是需要使用次數較多，通常需要使用三至五次。

輕鬆美膚術

果酸產品讓你一圓美膚夢：

1.妮傲絲翠果酸深層保養凝膠

特別適合：油性、青春痘肌膚

含有十五% Glycolic acid ，凝膠劑型，質地清爽不油膩，是對付青春痘、毛孔粗大、色素沉澱的利器，保養效果顯著。搭配使用果酸換膚，換膚效果更好。作用溫和，安全性高，可以長期使用而無副作用。

2.法黎雅皮脂調理液

特別適合：中度嚴重型面皰肌膚

活性抗痘成分，減少粉刺生成和皮脂分泌，潔淨毛孔的效果極佳，抗發炎及舒緩因子可以幫助毛孔細胞功能正常化。適用於大規模的面皰區域，包括臉部、背部、胸部、下巴的毛囊炎。

3.DCL果酸深層乳液

特別適合：中性、油性膚質

高濃度配方，最適合對付皮膚的過度角質化、黑斑、皺紋、脫屑，並且可以預防、治療身體肘、膝、踝部的硬繭，以及冬季搔癢、濕疹、乾癬現象所引起的乾燥症狀。

4.妮傲絲翠乳糖酸面霜

特別適合：各類膚質

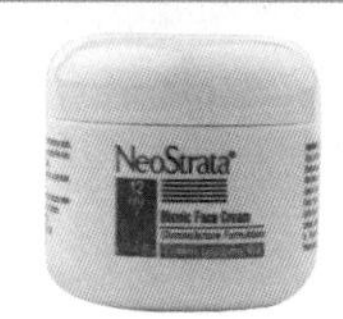

強力吸水保濕的效果，可以促進新陳代謝，加速肌膚更新，促進傷口癒合，增進膠原及真皮層基質生成。凝膠狀基質能輔助肌膚形成障壁保護膜，使肌膚呈現柔軟細滑的質地，對抗自由基傷害，延緩老化。

拒絕再當「黃臉婆」

我是不是有黃疸？或者，我是天生的、無可救藥的「黃臉婆」？

根據統計，百分之九十以上的女人覺得自己不夠白！妳呢？

由古至今，「白」一直是東方國度審美觀裡唯一不變的主流。偏偏在咱們亞熱帶的台灣，絕大部分女性的膚色是屬於黃褐色的，介於日本、韓國人的白皙和東南亞人的黝黑之間，難怪百分之九十的女性不滿意自己的膚色，也難怪女性朋友們總是對美白產品趨之若鶩。

掀開黃皮膚下的祕密

我常常在門診中碰到這樣的狀況：有些皮膚極黃的病患，以爲自己有了黃疸，疑心是肝臟出了問題，馬上跑到大醫院作抽血檢查，一旦檢查報告證實自己的身體是健康的，就自嘲地說：「我是中國人嘛，皮膚黃一點是正常的！我才懶得掏錢去做美白呢」，自自在在地接受了自己的黃皮膚。

這種狀況以男性和中年人居多，他們並不追求美白肌膚，但是非常擔心自己萎黃的皮膚是因爲健康不佳而導致。

想知道自己的黃皮膚是否和黃疸有關，只要觀察自己的眼白是否呈現黃色，如果眼白一如往常是正常的白色，就可以確定自己和黃疸無關。

但是，皮膚黃是天生注定嗎？

有位朋友多年來，每天都以吃一顆木瓜來治療便祕的宿疾，沒想到，便祕是舒緩了不少，但是皮膚也隨之臘黃了許多，當我提醒他，木瓜正是讓他變成黃臉婆的原因時，他還半信半疑。減少吃木瓜之後，不到一個月，他就深信不疑了，因爲實在太多人問他：「你是怎麼變白的？」

在門診中，我發現許多患者只要略爲改變飲食習慣和洗臉模式，不消多時，皮膚就悄悄變白了！

你可以拒絕再當「黃臉婆」

別誤會，這裡所說的「黃臉婆」絕對沒有貶抑女性的意思，而是形容臉色相當臘黃的肌膚。東方人可說是天生的黃臉婆，我們的黑色素是以偏黃居多，所以會被稱爲黃皮膚。再加上後天的膚色致黃因素，例如，厚厚的角質、不良血液循環，就會讓人成了名副其實的臘黃臉蛋。

建議你用三個良好習慣，告別「黃臉婆」的陰霾：

*均衡的飲食

類似黃疸的黃皮膚多和血液中的葉紅素過高有關，即吃了過多含有豐富葉紅素的食物，例如，木瓜、柑橘類、紅蘿蔔、南瓜、海苔等。均衡飲食是養成好氣色的方法之一，勿輕信坊間的食物療法和偏方而過度攝取單一類的食物。

＊適度的去角質

定期使用果酸保養品或是去角質美容液，可以避免角質層粗厚而造成的臘黃狀況，讓你重拾亮麗膚色。

＊按摩臉部

體內血液循環不好，氣色當然亮不起來，可以藉著按摩或是保養品的有效成分（例如，維他命C、抗氧化劑等等），促進血液循環。同時，戒掉菸酒、不良的睡眠習慣，避免過度的壓力，可以讓皮膚新陳代謝順暢運行。

如果你是天生的「黃臉婆」，上述方法也許不能讓你真正達到白嫩肌膚的目標，但是絕對可以讓你的臉色精神起來！

幫臉做按摩，找回好氣色：

頻率：每週一至二次

美膚效果：恢復肌肉彈性，打開臉部周遭的血管，促進血液循環，輸入更多的養分和氧氣，讓臉色紅潤健康起來！
千萬不要：按摩力道不可以過重，否則反而會造成肌肉疲勞，產生過多自由基。

美膚按摩：

1.維持「輕巧」的按摩力道。
2.以反重力的方向，用指腹輕輕地由下往上按摩。
3.眼睛部位：因為皮膚比較薄，按摩眼睛周圍時要更加輕手，採用輕柔的點壓就可以了。
4.臉頰部位：由外向內按摩。
5.額頭部位：由下往上按摩。

黑美人也能擁有白皙素顏

花大錢美容，不僅沒收到效果，還遭受冷嘲熱諷……
為了這一身黑皮膚，你究竟受了多少苦？

她走進來的時候，臉上還明顯帶著潮紅的眼眶，我提醒自己放緩說話的語氣，不要刺傷了她的心情。

經過詢問，她語帶哽咽地表示爲了美白，順便打掉這一臉的痘疤，她準備了大筆金錢到一家看來招牌很炫的「雷射診所」。沒想到，散掉數萬元的治療費之後，臉上痘疤卻變本加厲起來，臉上也沒有白皙多少。她鼓起勇氣詢問醫師，沒想到，卻被櫃檯的掛號小姐用一句話給擋了回來：「自己的皮膚不好，不能怪別人。」

除了心疼她的情緒，更讓我遺憾的是：雷射皮膚也許是快速美白的方法之一，但是絕對必須經過皮膚科醫師的專業評估，怎麼可以隨便找一塊招牌，就決定把自己的皮膚交出去了？

你的皮膚是哪一種黑？

你的皮膚爲什麼會黑？想要有效率地達到美白目標，就要先抓出讓你致黑的兇手。下列就是會抹黑皮膚的嫌疑犯們：

＊黑色素：黑色素的多寡決定皮膚的黑或白，黑色素是由麥拉寧細胞所製造，會傳導到周圍的表皮細胞。

＊血色素：身體狀況影響血液循環，當血管中的含氧量較高，皮膚就會像紅蘋果般，透著飽滿的光采；當血液循環變差，血液中的含氧量不足、二氧化碳

較高，皮膚就會顯得暗沈。

＊角質層：放任老廢的角質層堆積在肌膚上，會造成肌膚臘黃、無光澤。

＊皺紋：皮膚上的皺紋容易造成光線陰影的視覺感，讓臉色顯得更加黯淡。

在一般情況中，所謂的黑美人是因爲過多的黑色素均勻的分布在表皮層；斑點美人是因爲黑色素不正常的群聚在某些部位；年輕人的肌膚暗沈，通常是因爲角質層過厚，或是血液循環不好；年長者的肌膚暗沈大多是因爲肌膚老化和細紋。先好好認識自己，才能眞正對症下藥，美白也需要一點智慧喔！

黑美人的快速美白法

黑美人的美白不變定律，就是防曬＋果酸（或是去角質）＋使用含有維他命C、熊果素等等成分的美白保養品，可以漸漸減少黑色素的生成。

要美白，也要用對方法！如果你已經迫不及待迎接一張嫩白的容顏，可以由精熟皮膚構造的專業皮膚科醫師爲你針對不同的「黑」色狀況，給予正確的美白治療，才能美得健康又美麗！

＊脈衝光

脈衝光是黑美人的美白利器，不像雷射療程會有返黑期的困擾。除了美白，還可以一併解決斑點、毛孔粗大的問題。因爲療程短，術後無任何痕跡，可以立刻上班或約會，被大家暱稱爲「午餐換膚術——脈衝光」。

療程次數：約需要一至五次療程。

療程費用：每次約需一萬元費用。

＊鑽石微雕加上C導入

維他命C的美白效果一直受到大家的信賴，但是要讓皮膚吸收維他命C卻大不容易，必須將左旋維他命C藉由離子或超聲波導入，才能達到眞皮的吸收效果。目前所研發的鑽石微雕能夠改善膚質的暗沈、粗糙、膚色不均，並且淡化斑點、縮小毛孔、去除粉刺，搭配使用維他命C導入，更可以達到美白與緊實肌膚的良效！

療程次數：每二週進行一次療程，進行五次就可以看到顯著的美白效果。

療程費用：每次約需兩千至兩千五百元。

＊果酸換膚

果酸換膚可以快速代謝老廢角質和部分表皮組織，治療時會略爲感覺刺痛。美白效果相當不錯！

療程次數：每二至四週進行一次療程，總共需要進行三至五次。

療程費用：每次約需一千六百至兩千元。

別以爲接受了美白術式，就可以萬無一失、長長久久地擁有一張嫩白肌膚，唯有搭配正確的防晒和保養，才能眞正避免紫外線的侵擾。

敷檸檬，敷出花貓臉？

沒喝完的優酪乳拿來敷臉、檸檬片可以美白、蘆薈液可以潤澤肌膚……究竟它們是美容真理，還是誤打誤撞？

那天，變臉的他一走進診療室，我心裡不禁暗叫一聲：「哎，又一個」。

他的兩頰發紅腫脹並且帶有類似灼傷的痕跡，嘴巴更有嚴重的脫皮……又是一個DIY美容之後的犧牲品。

原來，剛從東南亞旅遊回國的他，一心焦急自己晒紅晒黑的皮膚可能會不好看，因此開始認眞的用檸檬內服外敷了起來，每天照三餐喝一杯不稀釋的純檸檬汁，早晚在臉上各敷一次檸檬片。

結果他一向自豪的性感厚唇剎那間變了樣，臉上也有化學灼燒的痕跡，而且還鬧胃痛！

檸檬固然含有豐富的維他命C，但是狂喝檸檬汁卻無法讓皮膚眞正吸收到維他命C，況且檸檬的酸性很強，喝純汁都已經讓腸胃承受不住了，何況是敏感的肌膚！想要讓皮膚吸收維他命C，必需藉助適度的左旋和誘導體，光靠檸檬片、檸檬汁是絕對無效的！

敷檸檬，小心敷出一張發紅、過敏的花貓臉！

自製美白保養品，天然、便宜又有效？

近來，電視、網路與出版界狂熱掀起一波DIY美容熱潮，你是否也親身體驗了這股旋風？

一般說來，大家風靡DIY美容的心態約可分爲這三類：

1.「很方便呀，只要利用一些隨手可得的原料，就可以輕鬆美容，而且還很有樂趣」，有些主婦甚至宣稱只要拿使用後的食材就可以順便做個美容。

2.「很便宜呀，現在的保養品動輒數千元，自己動手DIY成本還不到市售商品的百分之一呢」，沒錯，市售保養品的價格的確是愈來愈高漲了，也許自製保養品可以說是消費者對高價保養品所表達的一種抗議吧。

3.「很天然呀，在過度開發與飽受環境污染的今天，使用這些天然保養品能讓人擁有回歸大自然的安全感」，但是，千萬別忘了，感覺安全和真正擁有安全，絕對是兩回事，雖然天然的東西能夠給人舒服愉悅的感受，但是並不能代表真正的安全。

DIY美容常見的肌膚危機

DIY美白保養品雖然方便、便宜又天然，但是如果使用不當，就會造成肌膚危機。以下幾種案例是最常發生的狀況：

1.檳榔葉敷臉：用檳榔葉敷臉？乍聽之下非常不可思議，但是經過大家以訛傳訛之後竟然風靡一時，許多人爭相把自己的臉當白老鼠來親身體驗，實驗結果是——讓肌膚得到了難以磨滅的細胞中毒。

2.優酪乳敷臉：看起來營養滿分的優酪乳一旦敷在臉上，其中的高油脂成分會阻塞毛細孔，造成粉刺和青春痘。

3.蛋白敷臉：蛋白是老祖母輩口耳相傳、代代相承的美容聖品，傳說可以去角質、補充珍貴的膠原蛋白，還有神奇的去粉刺功效……但是如果使用了不新鮮的蛋白，或是使用的次數太頻繁，容易導致皮膚發紅、過敏。另外，乾性肌膚若使用蛋白敷臉，只會讓臉愈敷愈乾了。

4.蔬果敷臉：常見的有酵母粉、蘆薈、檸檬、柚子、小黃瓜、奇異果、西瓜等，它們的酸性很高，刺激性很大，而且含有感光物質，會造成皮膚見不得光，一遇光就產生過敏、變黑的狀況。

5.綠豆粉敷臉：許多人把綠豆粉、薏仁粉當作吸油聖品，希望藉以對付油光滿面的狀況，但是乾燥缺水肌膚絕對不可使用綠豆粉，否則會讓臉愈敷愈乾；青春痘肌膚一旦使用這類東西，會讓痘痘發炎更加惡化。

6.維他命C粉敷臉：這是美容界口耳相傳的方法，把維他命C研磨成粉，加水形成泥狀，再敷在臉上。事實上，這種方法很容易讓皮膚受傷，造成濕疹，事後必須花三至六個月才能讓肌膚康復。

體驗DIY美容樂趣的五項要訣

DIY美容充斥許多未知的風險，在皮膚尚未接受營養之前，也許你已經受到了這些不明成分的傷害。如果你一心想體驗這種DIY樂趣，一定要先了解五項要訣：

1.功效：這個產品是爲了保濕還是收斂？

2.適合的膚質：今天，你的臉是乾、是油，還是有點發紅過敏？

3.使用時間不可過長：通常，單次敷臉以十五分鐘爲上限，時間過長容易造成肌膚灼傷。

4.選用材料的新鮮度：一定要選擇新鮮的當令食材，絕對不可以心想反正食物壞掉了丟掉也是浪費，不如拿來敷臉。

5.可能的副作用：適合別人的保養品，不一定適合你，更何況是這些未經醫師證明的DIY產品，使用前一定要先透徹了解可能的副作用。皮膚一旦發出異狀警訊，就要立刻停止使用。

土法煉鋼的自製保養品也許能夠誤打誤撞，讓你用小錢體驗美容護膚的感受，但是絕對不保證你的朋友也適合，甚至是隔了幾天之後，你的皮膚狀況或許也不再適合同樣的方法。當然，最安全的美膚方法仍然是先請教皮膚科醫師，請醫師針對你的個人皮膚狀況和這些DIY美容法，給予專業意見。

醞釀一張好臉色！

想要擁有一張紅光滿面的美麗好臉色，除了內服外敷，還有許多更重要的事！

好心情，養出好臉色

皮膚會說話！

即使噤住口，你的臉色仍然透露了內在的情緒語言。許多人都有這樣的經驗，自己還沒露出口風，別人就已爭相詢問：「氣色這麼好，談戀愛了吧」。或是，匆匆走過算命攤，沒有開口、沒有表情，卻被算命師喊住：「小姐，你最近諸事不順喔！」

別驚訝，並不是別人善於刺探，而是因爲你的心情早就透過肌膚傳達給別人了。皮膚醫學證實，好心情會讓人容光煥發，壓力則讓皮膚暗沈無光。

壓力大、情緒差，正是美麗的大敵！舉例來說，不論是天氣的冷或熱、肚子過餓或過飽、心情焦躁或低落、工作量大，或者是感冒、病痛、考試、比賽、挨罵等等，都是你的壓力來源。

想要美麗肌膚，請先美麗你的心情：做好壓力控管、找對正確的舒解情緒方法、定期清除心裡的垃圾。唯有身心平和，你的臉才能眞正亮起來！

好作息，養出好臉色

生活作息和美白有關嗎？

是，而且是息息相關呢！

「只要觀察皮膚變化，就可以得知這個人的身心狀況」，我常常這樣打趣。

許多人以爲藉著定期抽血檢查、檢測荷爾蒙的變化就可以了解身體狀況，事實上，當人處於不正常的作息，例如：就寢時間不規律、飲食不正常，都會在體內產生非常多的自由基，因而反噬自己的皮膚狀況，在身體尙未感應到體內失調的時候，皮膚的表情已經洩露了健康失衡的訊息。輕微的作息失序和情緒失調會使肌膚油膩、暗沈、無光澤，嚴重的作息失序和情緒失調會造成青春痘、脂漏性皮膚炎，甚至是圓禿的狀況。我們可以這樣說：你的皮膚比血液報告更準確、更及早地對你宣告身體的健康狀況。

生活在緊湊忙碌的現代社會中，人們特別需要一帖好好放鬆的處方，也許是舒舒服服泡個湯、談一場美麗的愛情、正常規律的生活作息、芳香療法、頭髮和身體SPA、享受大汗淋漓的運動快感，或者是一門可以讓你安下心來的宗教。放鬆，不能讓你立刻返老還童，但是可以抑制自由基的生長，讓肌膚維持最佳狀態，你的氣色當然紅潤如童顏！

想要美白，請內外兼修。

吃好喝好，養出好臉色

在富裕的生活環境中，已經很少聽聞營養不足的狀況。但是鼓著一張過飽肚皮的你，眞的吃對了嗎？

吃的不對，會造成營養素攝取不足，使肌膚暗沈、面有菜色。吃的太好，更會傷了肌膚，使肌膚發出無言卻礙眼的抗議。

先來瞧一瞧你是不是飲食的高危險群？

1. 長期外食的「老外」：

爲了吸引顧客光臨，絕大多數的飯館都會祭出多油、多鹽的重口味菜色，青菜水果幾乎只能算是零星的點綴品。

建議你：吃飯時，多點幾道清淡料理的蔬菜！

2.愛美的減肥族：

一談到健康飲食，大家腦海中就會想到一盤盤無油無煙的生菜沙拉，尤其又以減肥食譜最誘人。問題是，光吃蔬菜水果絕對無法滿足我們肌膚所需的營養素。

建議你：酌量吃點蛋和水煮的肉類，能補充蛋白質，又不添多餘熱量！

3.固執的偏食者：

堅持不吃蔬菜，或者不吃魚、不吃澱粉，只吃肉類……這些壞習慣會造成體內嚴重缺乏維生素C，你的美麗容顏當然大受摧殘。

建議你：老話一句，想要美麗，營養均衡是一定要的！

4.素食者：

素食比較難攝取到維他命B_{12}和鐵質，容易造成貧血，導致膚色偏黃或蒼白的情形更加嚴重，顯得一臉病容。

建議你：嘗試各式各樣的素食，不要拘泥於一、兩類固定的青菜或豆類食品！

養成均衡的飲食習慣，讓你愈吃愈美麗

均衡的飲食是健康的根本，也是美膚的首要之務！適當的補充維他命和礦物質，可以減少自由基對皮膚的傷害，更可以促進皮膚進行新陳代謝。再昂貴的維他命與營養補充品都比不上均衡的飲食來的重要，一心追求嫩白美膚的你，一起來愈吃愈美麗！

＊**足夠的能量**：每日攝取的能量不能少於個人的基礎代謝量，大約是一千二

百大卡的熱量。

＊五大類飲食：澱粉類、魚肉蛋豆奶類、油脂類、蔬菜、水果，皆不可少。

＊適量的蔬果：蔬菜水果的攝取量必須是魚肉蛋豆奶類的二至三倍。

＊維他命C：維他命C有增強免疫力、抑制黑色素形成、抗氧化的功能，可說是美白的一大功臣！

＊維他命E：維他命E具有抗氧化、光保護、促進荷爾蒙和血液循環的良效，是美白、抗老的聖品！

＊維他命B群：消除疲勞、活化造血、調理皮膚和身體機能，萬萬不可少了它！

特別提醒你，維他命C和B群屬於水溶性維他命，比較沒有身體代謝的疑慮；但是服用脂溶性維他命E時，最好先聽取醫師的指導建議。

睡好覺，養出好臉色

「眞是怪了，別人老是問我是不是沒睡好，其實我從凌晨兩點睡到將近中午，睡了快十個小時呢！」，睡得晚、睡得少似乎已成了現代人的通病，難怪現在有不少化妝品特別強調能修瑕、遮去黑眼圈，就是因爲不正常的睡眠對美容有極大的殺傷力。

人體每天究竟需要多久的睡眠，絕對沒有定論，有人一定得睡滿八小時，有人則是完全不需要鬧鐘，清晨六點鐘就可以自動起床。但是睡個品質好的美容覺，是每個人都需要的！

體內的自律神經和荷爾蒙讓我們的身體擁有一定的規律，也就是一套專屬於自己的生理時鐘。當我們依循著生理時鐘規律生活，身體機能就能達到平衡狀態；一旦我們違逆自己的生理時鐘，刻意反其道而行，例如疲累了卻不睡覺、飢餓了卻不好好吃頓飯、過度緊張卻不先放鬆自己的心，皮膚狀況就會率先發難。

*那麼，哪種睡眠才能算是優質的美容覺？

日出而做、日落而息雖然是最具養生之道的睡眠方法，但是實在不太符合現代人的生活需求。一般來說，只要把握「7－11」的原則，盡量在晚上十一點以前入睡，早晨七點以前起床，就是百分之百完美的睡眠了。想知道自己的睡眠是否及格，有三個判別方法：

1. 是否容易入睡。
2. 是否容易驚醒。
3. 是否一覺到天明。

睡個好覺，容光煥發，今晚好好犒賞自己，睡一個香甜飽滿的美容覺！

度好假，養出好臉色

「爲什麼每當度完週末，或是難得放了一個長假之後，肌膚非但沒有煥采姿色，反而更是一臉菜色？」度假，可說是肌膚的矛盾期：休養生息可以蘊釀出神采奕奕的好氣色，但是過度放縱、生活失去規律，卻更糟蹋自己的臉色。

人在假期中，明明是吃得好、睡得飽、壓力少，皮膚反而更糟？快來瞧瞧你是不是又在假期中犯了這八條美容大忌：

＊**吃得太好**：暴飲暴食、高熱量飲食、吃太多大魚大肉，或是假期時手不離垃圾食物，只會徒增身體的負擔，讓皮膚大喊受不了！

＊**維生素C太少**：缺乏足夠而均衡的飲食，蔬菜吃得少，水果更是攝取不足，皮膚當然美不了！

＊睡得太飽：每天睡到中午才自然醒，到了應該入睡的時間又睡不著，如此惡性循環下來，每天雖然睡得很飽，卻嚴重影響人體的生理時鐘和荷爾蒙分泌，皮膚亮不了！

＊葉紅素太多：柑橘、海苔、木瓜等蔬果類含有豐富的葉紅素，會造成皮膚發黃，顯得肌膚沒精神，氣色好不了。

＊身體狀況太差：作息不正常連累了身體的免疫系統，讓身體感冒、腸胃炎不斷。生理狀況不好，皮膚好不了！

＊心理壓力太重：每到假期，雖然放下了工作壓力，卻得面對另一種人際壓力，也許交際應酬和家庭壓力更多了，也許還得正視荷包大失血的問題。壓力多了，皮膚快樂不了！

＊保養習慣太懶：放個假，連平日遵守的保養習慣都跟著放假了，或者是旅遊時忘了帶保養品，只好借用別人的，卻是不適合自己的保養品。習慣變懶了，皮膚養不好！

＊運動態度太散：心情一鬆，好不容易養成的運動習慣都遠遠拋在一旁了。定期做運動，讓身體好好流個汗，肌膚才能大口大口的深呼吸。新陳代謝變好了，肌膚自然更健康、更緊緻、更光采！

度完假，卻被自己的壞臉色嚇壞了？沒關係，只要趕快恢復正常飲食及作息，過段時間之後，就能讓你從日常保養中恢復元氣好臉色！

如果皮膚狀況眞的很糟，趕快找你的皮膚科醫師對症下藥！

皮膚科醫師的私房美白術

在門診中，許多患者都訝異於我這麼了解他們一心一意但求美白臉色的心情。呵，因為我也曾經深受黑皮膚所苦呀！

你是哪個國家來的？

曾經，在醫學院求學的七年裡，在台灣土生土長的我，卻老是被師長們關切：「嘿，你是從哪個國家來的？你是東南亞僑生吧。」尤其當我申請到皮膚科時，還被許多同學大開玩笑：「皮膚科醫師的招牌可能會被你砸壞喔！」

哎，這一切禍首全是因爲：「我的皮膚實在是太黑了。」

爲了洗刷不白之冤，七年來，我眞是做盡了各種努力：戶外聯誼活動能免則免，只要出現在大太陽下絕對打著傘、頭戴漁夫帽，勤奮塗擦某某知名保養品牌的美白粉末，服用號稱具有美白良效的中藥，把牛奶當開水喝，有陣子還天天喝五百C.C.的果菜汁，喝到面有菜色也不見皮膚出現任何變白的跡象。我總是幻想能找到一種完美的美白保養品，使自己的皮膚變得如廣告明星一般，既晶瑩剔透，又白皙水嫩，抱著這樣的渴望，我特別容易被那些誇大不實的廣告所誘惑，也老是受到專櫃小姐的煽動，糊裡糊塗就買了一堆價格不菲的保養品，還因此造成皮膚過敏……當然，最後的結局就是，我對著鏡子裡依舊一身黑皮膚的我，欲哭無淚。

沒想到，就在我強迫自己逐漸接受黑皮膚的事實時，這些年來的皮膚科醫師生涯竟然讓我意外拾回睽違已久的好膚質，儘管我並非肌白若雪，但是簡簡單單的三個方法卻讓我揮別僑生、外勞的封號！

我發現，不管自己現在的臉色是如何暗與黑，理論上，都可以將自己大腿內側的皮膚顏色，做爲美白肌膚的終極目標。

我的美白成功三部曲

以我這個曾經「黑得很像外勞」的皮膚科醫師爲例，乖乖循著這三個美白三部曲，我終於擁有了久違的好膚色！

＊徹底的防晒

如果防晒工作不徹底，不管使用什麼美白方法都是白費力氣。先根據自己的膚色，選擇兼具對抗紫外線A光及B光的防晒乳液，另外，搭配使用抗氧化的保養品，例如左旋維他命C、多酚類（polyphenols），可以強化皮膚抵禦紫外線及自由基的能力。不管陰晴下雨，起床洗完臉的第一件事就是擦防晒乳液，並且根據紫外線指數做好全身的防晒對策。如果你對防晒仍心存疑慮，快翻開本書第二章「防晒篇」，將可以得到全方位的防晒知識。

＊認識你的黑因子

你是肌膚均勻地偏黑色的黑美人，還是斑點美人？如果斑點橫行你的臉，請先認清它們是屬於肝斑、顴骨母斑、雀斑、晒斑、老人斑、痣、太田氏母斑，還是發炎後的色素沈著？在美白之路上，千萬別再做冤大頭，唯有找到抹黑皮膚的原因，才能爲肌膚尋求快捷有效的美白良方。

＊理性的解決

「跟著感覺走，讓它帶著我！」說穿了，許多人選擇美白產品時的「感覺」，其實都是隨著廣告文宣起舞。別以爲維他命C是美白聖品，事實上，不同的致黑點都需要用不同的方法來解套，以痘疤（屬於發炎後的色素沈著）爲例，果酸的療效就優於維他命C的效果。如果你不想虛耗任何一毛錢在無意義的保養品上，購買商品前可以先仔細請教你的皮膚科醫師，多比較不同美白保養品所含的有效成分和濃度，最後衡量自己的經濟實力再購買。不要怕叨擾了醫師，畢竟唯有能夠耐心提供專業意見的，才是值得信賴的好醫師。

如果你對美白懷抱著很大的期望，而且經濟也許可，可以請皮膚科醫師爲你進行專業的美白治療，例如，左旋維他命C的離子或超聲波導入療程。通常每週二到三次，大約五至十次就可以看到相當顯著的效果。

現在的我，對於自己的臉色非常滿意。唯一的遺憾是：眞是的，我竟然白白浪費了那七年的時間和金錢！

依照不同的肌膚致黑點，你需要最有效的美白良方：

肌膚致黑點	首選	第二名	第三名
·黑美人 ·發炎後色素沈著（如痘疤）	防晒	果酸和去角質擇一	麴酸、維他命C，或是熊果素
·肝斑	防晒	麴酸、維他命C，或是熊果素	果酸和去角質擇一
·晒斑 ·老人斑	防晒	果酸和去角質擇一	
·顴骨母斑 ·太田氏母斑 ·痣	除了防晒外，其他的外用美容保養品都沒有幫助。需要求助皮膚科醫師，以適當的雷射解決。		

第五章
抗痘篇

告別了青春，告別不了青春痘

十幾年沒長青春痘了，沒想到今年都要三十歲了，兩頰卻開始大冒痘子，難道是內分泌失調？

成人的面子問題

常常在門診中看見這樣的情形：明明早已過了青春期，但是不再青春的臉卻開始冒出一顆顆的粉刺、紅色丘疹、膿包和大痘子，叫人看了好不尷尬，其中又以成年女性最容易發生這種狀況。

事實上，俗稱爲青春痘的痤瘡，絕對不是青少年的專利。

根據統計，有三十%的痘痘患者如果不經治療，即使跨過了青春期，痘痘還是會繼續冒。也有許多的職場女性，年輕時不長痘痘（或是已經近十年不再長痘痘了），卻有「三十拉警報」的窘境——年近三十，才開始長痘痘。

這種情況，正是典型的遲發型青春痘。

「遲發型青春痘？爲什麼我會長這種青春痘？難道是內分泌失調？」許多患者往往會自動舉一反三，做了這樣的聯想。其實，那可不一定，只有絕少數的遲發型青春痘患者是出於內分泌失調，多數患者都是其他原因造成：

*長期處於壓力狀態

根據近年來的醫學統計，全球有愈來愈多的職場婦女，深受遲發型青春痘而困擾。歸咎原因，都是壓力惹的禍。

這並不是指暫時性的壓力，例如，下週要趕交報告，所以這個禮拜特別忙碌、心煩，而是一股長期的慢性壓力，患者本身甚至會覺得：「還好吧，我不覺得特別有壓力呀！」

當我們處於壓力狀態，腎上腺就會分泌腎上腺素以應付壓力，同時也會影響體內的荷爾蒙系統（製造雄性素），因而刺激皮脂腺分泌。長期累積下來，就出現了惱人的痘痘問題。

＊長時間濃妝豔抹，或使用不良的美容產品

使用化妝品時，千萬不要讓一時的美麗造成日後的傷害，根據自己的膚質選擇有商譽的化妝品、保養品品牌，挑選標明不會造成粉刺的產品，大都不會引發痘痘問題。但是，別以爲選到了好產品就可以高枕無憂，任何一種化妝品一旦停留在臉上的時間過久，或是塗抹太厚，仍然可能堵塞毛細孔，造成痘痘惡化。另外，油性膚質、易長痘痘的體質，也要避免使用水洗式卸妝油。

＊服用避孕藥

正在服用避孕藥的女性朋友們，小心避孕藥正是誘發青春痘的原因之一！不論你的致痘原因是什麼，只要在第一時間諮詢專業皮膚科醫師，接受正

規的青春痘治療，通常經過三～六個月的治療期就可以痊癒。千萬不要因爲不肯承認自己長的正是青春痘，而延誤就醫，隨便找一家美容院解決你的面子問題！

痘痘的位置，暗示體內的健康狀況?!

「醫師，我女兒右臉的痘痘比左臉嚴重得多，是不是她的肝不好，還是腎不好？」

「我的痘痘都長在嘴巴四周，一定是我的腸胃出了狀況吧！」

「鼻子上長了這麼多痘痘，是不是色有色報？醫師，我承認自己是蠻愛看色情光碟的。」

當然不是！

坊間一直流傳著痘痘生長的位置暗示體內的健康狀況，事實上，根據全世界皮膚科醫師和其他各科醫師合作的研究顯示，青春痘純粹是皮膚問題，與身體健康並沒有直接的關係。想要用青春痘的生長位置來了解自己的健康狀況，完全是無稽之談！

唯一有關的是，女性的內分泌系統。

女性痘痘族如果下巴和嘴巴四周的痘痘特別嚴重的話，有可能因爲生理期快到了，或者和內分泌失調有關！至於痘痘的其他好發地帶，根本就和肝、腎、腸胃沒有關係，請不要再窮操心而猛吞養肝丸、補腎藥，小心，亂服用成藥反而會吃出問題。

青春痘和你的身體狀況沒什麼直接關連，倒是和個人的生活習慣有關：

*如果你的痘痘都長在臉頰，請注意：

1. 托腮的習慣會在臉頰悶出痘痘。
2. 睡覺時慣躺右（或左）邊，而枕頭巾卻從不換洗，也是致痘原因。
3. 是否使用致粉刺性的化妝保養品。

＊如果你的痘痘都長在額頭，請注意：

1. 瀏海是否過長？

2. 是否用了太油的慕絲或髮膠，因而堵塞毛孔？

＊如果你的痘痘都長在嘴巴四周，請注意：

1. 慎選保養品、乳液和化妝品。

2. 畫口紅時是否常畫出唇線？

3. 刷完牙，嘴邊的含氟牙膏是否清洗乾淨。

青春不再，想要告別惱人的青春痘，請先檢查你的壓力狀態和生活習慣。

用對方法，治療青春痘！

根據青春痘嚴重程度，有最適當的治療方式：

1.外敷：塗擦藥物，例如，去角質劑、抗生素、A酸、杜鵑花酸。

2.內服：塗抹藥物之外，搭配服用藥物，例如，抗生素、荷爾蒙、口服A酸。

3.特殊療程：果酸換膚。

終結痘痘，使出戰痘力

臉上突然冒出幾枚大紅痘，實在有礙觀瞻，要我按耐住動手擠痘痘的衝動，任它在臉上逞兇鬧狠個幾天，實在無法忍受！

一想到預防痘痘，大家都會先想到使用抗菌洗面乳，或是塗抹收斂化妝水，「到底哪種洗面乳最好，可以全面預防痘痘？」這是痘痘患者最常發出的問題，遺憾的是，這個問題並沒有一個完美的解答，答案是：不可能。洗面乳停留在臉上的時間很短，發揮的治療作用不大，無法全面解決青春痘問題。尤其有些膚質（例如，缺水多油、乾性、敏感肌膚）並不適合使用收斂性太大的產品。許多人只要感覺這款洗面乳不能杜絕青春痘，就急著換另一個品牌，在眾多洗面乳品牌中繼續漂流著。

良好的除痘工作需要內服或外用，或者兩種雙管齊下。提到內服藥物，大家還不致於輕率到隨便在市面上買個成藥就吃進肚裡。但是關於外用藥物，很多戰痘族不免都有自己動手擠、隨便在藥房或美妝店買個藥膏就往臉上抹，或者隨便找個口耳相傳「口碑好」的美容師來擠痘痘的經驗，結果呢？

眞的解除了痘痘夢魘？

或者，紅痘雖然消弭了，卻種下了一塊塊的痘疤？

何不請專業的皮膚科醫師來解決你的苦惱？

皮膚科醫師也會擠痘痘?!

「皮膚科醫師只會唱高調！一點都不了解我們病人的心聲，一下說不能擠痘痘、又強調任何保養品都不能擦，最後一定耳提面命『絕對不能化妝』。拜託，這實在太困難了，我根本不可能做到，所以我乾脆都不看皮膚科醫師！」曾經在網路上看到不少類似的留言。

嘿，這個我可不服氣了，我相信這個世界上絕對還有又先進、又貼近民衆的皮膚科醫師！

的確，許多醫師都不太了解痘痘族的想法，尤其從小就天生麗質擁有好膚況的醫師們，更是不了解咱們痘痘族的苦衷。同時具有戰痘族和戰痘醫師雙重身分的自己，在專業醫學領域之外，更能體會戰痘族的心路歷程，給予貼心的醫療服務。

例如，我們就曾經爲病患擠痘痘。

「什麼，醫師頒定的十大戰痘守則，第一條不就是力勸大家不要擠痘痘？」你一定很驚訝吧！

其實皮膚科醫師都曾爲病患清痘痘，正式的學名稱爲「痤瘡手術」，通俗點說就是擠痘痘！「憑什麼醫師可以擠痘痘，我自個兒就不能擠？」你一定有這樣的困惑。

這都是因爲醫師有完整的皮膚知識、經驗、技術、訓練和判斷力，可以正確判別什麼痘痘可以擠，該選用哪些工具、搭配哪些藥物。

痘痘族最大的夢魘就是「疤痕」。不當的擠痘痘，容易將小粉刺、小痘痘釀成大痘痘，最後就留下慘不忍睹的痘疤，甚至因爲細菌感染而形成蜂窩性組織炎，危及你的外觀，更危及性命。一旦臉部留下月球表面般凹凸不平的疤痕，更得掏出大把的時間和鈔票來撫平！

和你一起分享皮膚科醫師的除痘祕訣：

＊治療前，先瞧瞧你的痘痘現況

1. 關於痘痘，必須是紅腫，且患處已經軟化了。
2. 關於粉刺，必須爲開口粉刺，且開口必須和鼻頭粉刺一般大小才能擠。其他類型的粉刺必須先擦抹根除粉刺的藥膏，待二至四週後才能處理，或者果酸換膚一、二次後才能動手處理。

*全程使用完全無菌的操作技術

1. 患部必須先以酒精消毒過。
2. 不用來路不明的針頭，用火燒針頭絕對不等於正確的消毒方式。
3. 以酒精棉片消毒治療者的雙手，或是配戴無菌手套。

*治療方式四要

1. 方向要適當。
2. 力道不能過大，不是以擠到見血為止。
3. 敷上適當的收斂水，或是塗上適當的藥膏。
4. 治療期間，必須搭配服用口服或外用藥等適當的藥物治療，才能真正見效，否則痘痘臉只能獲得一時的解脫。

等不及了嗎？如果你實在無法抑制親手消滅痘痘的快感，請務必遵照上述方式，才能達到零傷害性的去痘目標。

如果你仍然滿心惶惶，沒有太大把握，建議還是由醫師來爲你動手吧！

外用A酸的使用祕訣

經過一段抗痘治療期，相信你的肌膚一定有了顯著的改善，也許早已告別了紅痘臉，臉上只剩下些微的粉刺和痘疤，外用A酸是你手上正在塗抹的藥膏之一。

「聽說，外用A酸的刺激性很強，反正我的青春痘已經好的差不多了，可不可以不要再擦藥？」擁有不少抗痘馬路知識的患者，通常會對我提出這樣的要求。

＊糾正你的抗痘馬路知識一：青春痘已經好的差不多了?!

雖然紅痘不再，但是只要臉上仍然暗藏粉刺，它們就可能趁你不備，伺機給你致痘的一擊。

＊糾正你的抗痘馬路知識二：外用A酸的刺激性很強，所以皮膚會變薄?!

外用A酸是維他命A衍生的外用製劑，可以促進皮膚表皮細胞的代謝、改善角質的異常、增強皮膚的結締組織……因此可以達到完全根除粉刺的美膚境界。但是，並非人人都適用。

外用A酸讓人怯步的一大主因就是，容易產生刺激性。其實，只要經由醫師指示使用，研究證實肌膚不但不會變薄，反而可以更年輕。

第二個原因是：外用A酸的效用實在有點緩慢。以外用藥物而言，目前皮膚醫學界尚未發現更快速根除粉刺的方法。

第三個讓人半途而廢的原因是：有些病人在使用外用A酸第三到第六週時，反而會產生新的紅腫，或是化膿的痘痘，讓人有「怎麼搞的，痘痘竟然惡化了」的不耐煩感覺。這時，只要請你的皮膚科醫師開立適當的輔助性藥物，就可以解決這個治療瓶頸。一旦熬過這個階段，你就可以眞正感受粉刺的大幅改善了。

依循下列操作祕訣，就能讓你放心擁抱外用A酸的除粉刺療效：

1. 請皮膚科醫師依照你的膚質，開立適當的維他命A衍生外用製劑。
2. 洗臉時，使用溫和不具刺激性的肥皂，禁用強效去油的洗面乳。
3. 洗完臉，用毛巾輕輕壓乾臉上的水分。
4. 除非醫師建議，否則絕對不宜使用任何去角質產品。
5. 待皮膚在空氣中自然風乾二十至三十分鐘後，沾取米粒大小的A酸分量，在整張臉薄薄地塗抹一層。記得避開鼻側、眼睛以及嘴巴周圍，塗抹於下巴的量要比其他部位少一些。

請注意：

1.使用初期，以一天使用一次爲原則。如果沒有任何刺激現象，可以慢慢增加爲一天使用兩次。

2.皮膚本身並不油膩，或者是略爲敏感的膚質，使用初期最好是每二或三天使用一次，再慢慢增加使用頻率。

3.治療期間，如果有皮膚乾燥、脫皮的現象，必須減低使用頻率，並且擦點乳液。待情況改善後，重新增加頻率。

4.治療期間，如果有皮膚發紅、變腫的現象，應該立即停止使用，待皮膚恢復正常後再從基本（使用量少，每三天使用一次）步驟重新做起。

通常，皮膚大約在四週之後就可以完全適應A酸。如果仍然不行，應該請皮膚科醫師幫你選用其他藥品。

輕鬆美膚術

明天就要參加聚會了，卻發現臉上突然冒出幾顆礙眼的痘痘，怎麼辦？唯有對症下藥，才能有效搶救面子：

狀況一，痘痘大小如米粒：
塗抹醫師開立的消炎乳膏。如果痘痘已經化膿，可以用酒精消毒過的針，輕壓痘痘表面。

狀況二，痘痘大小如蠶豆：
觸摸時感覺深度很深，必須請醫師局部打針或是開藥物。

用橡皮擦擦掉粉刺？

用橡皮擦擦掉粉刺、用吸痘器徹底拔除粉刺和痘痘、讓美容師做掉一臉的痘子……你收集了多少種滅痘偏方？

青春痘烏龍事件

當臉上冒出痘痘，你會怎麼做？讓時間慢慢消弭痘痘的存在、找皮膚科醫師，還是向親朋好友或網路尋求偏方？

讓我們來看看這些例子吧：

「一名年輕女孩，聽說茶樹精油可以治療痘痘，就直接拿濃度百分之百的純茶樹精油，滴在痘痘上，結果治出了一張發炎的臉。」

「聽說蜂膠能除痘，一位女性把價格不菲、原本用來滴在嘴裡的蜂膠，直接抹在臉上，結果整張臉又紅又腫。」

「許多藝人都繪聲繪影表示只要在痘痘剛冒出來時，立刻塗抹面速力達母或是牙膏，就可以把痘痘『封』起來，讓痘痘更快變熟，就可以用手擠出來……結果，一名青春期男生如法炮製，把牙膏塗在大痘痘表面，隔天痘痘變得更紅更腫，發炎情形更嚴重，甚至還留下疤痕。」

在我們的生活周遭，總是可以聽聞這樣的青春痘烏龍事件，實在令人哭笑不得。以我自己爲例，青春期時長了滿臉的痘痘，自以爲是睡眠不足所導致，因此一放學回家，就從晚上七點睡到隔天早上七點。當然，精神是養得飽飽的，但是青春痘卻沒有減少幾顆。

其實，痘痘族想要達到肌膚的美麗境界一點兒都不難，只要找對醫生、用對治療方法，例如，外用藥物、口服藥物、輔助治療（例如，果酸換膚、病灶內注射）、痘疤治療，各種程度的痘痘問題，都可以在六個月內幾近百分之百的完全克服。

幾顆痘痘不足以滅掉你的美麗容顏，但是錯誤的觀念卻可以瞬間摧毀你的臉，動手解決痘子問題前，請再三深思！

粉刺為痘痘之本

粉刺，包括白頭、黑頭粉刺，是所有青春痘的根本。

放任粉刺而不顧，等於是在肌膚埋下一枚枚不定時炸彈。只要粉刺不根除，肌膚隨時都可能因爲天氣、熬夜、壓力、睡眠不足等等因素，而冒出大痘痘。

一份完整的痘痘療程需要爲期六個月，期間包括消除紅腫的痘痘，以及根除粉刺。多數人一見到紅腫痘痘大爲減少，就自以爲狀況已經受到控制，而對粉刺視而不見。最常遇到的狀況就是每到秋冬，許多痘痘族因爲臉上的油分稍稍減少，痘痘發炎腫脹的情形不再那麼明顯，便喜不自勝認爲自己的痘痘已經大爲康復，因而喊停青春痘療程。

但，這反而喪失了完整根除青春痘的機會。

醫學證實，能解決粉刺的藥物和保養品，都必須具有解決毛囊中角質的功能，例如，維他命A外用衍生劑、果酸等等，解決了盤根錯節的角質問題，粉刺才能跟著解決。

另外，錯誤的肌膚保養也會讓你不得不放棄治療痘痘。許多人都忽略了洗面乳和保養品換季的重要性，即使到了秋冬仍然使用強調去油的洗面皂，再加上疏於保濕，導致皮膚過於乾燥、痘痘惡化的問題，結果治療痘痘的外用藥物又因爲肌膚過乾而難以使用。

想清楚了嗎，也許痘痘難解的重要關鍵，就在於你自己！

以油溶油，真能去粉刺？

皮膚科門診有一位退休的老教授，只要在教學門診中遇到青春痘患者，總會擠出一顆粉刺，來考實習醫師，請實習醫師去顯微鏡下觀察，回答可以看到什麼東西？沒有經驗的實習醫師總是找不出個所以然來，研究了半天只好隨便回答一個美容界常常灌輸的觀念：「油脂」。

答案當然是只對了一半。老教授往往會很生氣，劈頭就把實習醫師臭罵一頓。

老教授的憤怒是有原因的，許多化妝保養品宣揚了一堆似是而非荒謬的去粉刺觀念，就是來自於這個錯誤的答案。

正確答案是：「油脂和角質」。

早期曾看過一位自稱專家的人寫的書，強調敷面膜的時候，皮膚溫度會稍微升高，油脂會溶解，就能把粉刺吸附出來，所以常常敷面膜就可以解決粉刺。這真是大錯特錯的觀念。毛囊裡的油脂和角質都是非常複雜的糾結在一起，就算油脂能溶出來，從皮脂腺分泌出來的油脂很快的又和這些角質緊密相連，粉刺再度形成。

以油溶油的觀念，是這幾年相當流行「號稱」可以去粉刺的方法，但又是一個錯誤的邏輯。很多人都知道用油溶油可以卸除水洗不掉的油質彩妝，因而推論油也可以溶解毛囊裡面的油脂。然而，溶解了油，卻無法解決卡在毛囊內的角質（即使加了乳化劑也無法溶解毛孔內的角質，相反地，乳化劑更容易將這些油分帶進毛孔中），所以當油分再度分泌，又會和這些角質卡在一起。

青春痘的外用藥物

外用藥物是治療青春痘的基本步驟。

相信每一個身經百戰的戰痘族一定都接觸過不少類型的除痘藥膏。也許是自己到藥房購買、皮膚科醫師開立，甚至是親朋好友好心相送的，也許你會覺得某些藥方有效、某些藥方差勁無比。但是你眞的用對方法了嗎？或許，你的錯誤使用方法讓本來很有效的藥膏，失去了療效？也許，剛使用起來頗有良效的藥方，長期看來卻可能是包了糖衣的毒藥？

輕微程度的青春痘患者只要使用外用藥物就可以治癒，嚴重者必需另外搭配口服藥。目前，治療青春痘的外用藥物可以區分爲下列：

1. 具有收斂及去角質效果的外用藥劑。
2. 過氧化苯。
3. 抗生素藥水或藥膏。
4. 維他命A衍生外用藥劑。
5. 杜鵑花酸。

*外用藥物的塗擦方法

1. 整臉塗擦

優點：理論上是最合理的使用方法。不僅可以治療青春痘，還可以對付微細的粉刺，避免出現漏網之魚！

缺點：如果把強效去角質或是高濃度的藥品直接擦滿全臉，很容易引起類似化學灼傷的刺激性皮膚炎，出現皮膚紅腫脫皮，甚至產生暫時性的色素沉澱。這種藥品只適合擦在紅腫的痘痘上。

請注意：

記得詢問醫師正確的使用方法，❶究竟該擦滿整臉？還是只擦在紅腫的痘痘上？❷使用頻率是一天兩次？還是一天一次？❸擦藥的時機是晚上適合，還是白天爲宜？

2.使用前先測試

優點：使用藥膏的前兩天，先在一小塊皮膚上塗擦一次藥膏，試試有無過敏反應→如果情況OK，改爲在小塊皮膚上一天塗擦一次→試試塗擦半個臉頰→大膽地塗抹整臉擦！這是保證安全無虞的藥膏使用法。使用高濃度、高刺激性藥品，或是醫師開了新藥膏的時候，建議先使用這個方法。

缺點：耐心，你需要更多的耐心！

請注意：

千萬，千萬不要輕率使用別人的藥膏，每個人的肌膚狀況不同，眞正具有療效的藥品難免具有刺激性，必須在醫師的指示下才能使用。

用雷射根除粉刺？

若經濟能力允許，希望能在內服藥物、外擦藥膏之餘，爲痘痘臉多做點什麼，儘快回復淨白無瑕的好膚況，可試試以果酸換膚作爲輔助性的肌膚調養。

「醫師，常常有美容師向我推薦雷射除痘，好心動唷！如果我用雷射，效果是不是會更快、更好？」看著睜大眼睛、心存美麗幻想的患者，就算再不忍心，我也必須誠實告訴他：「錯！」

雷射青春痘的治療效用目前尚未經過實證，主流的皮膚醫學並不主張用雷射來治療青春痘。只是目前國內的確有少數醫師和美容師以雷射來治療青春痘，他們是用鉺雅各雷射在每個青春痘上製造出一個小洞，幫助青春痘排出或是擠出。患者在接受這樣的處置之後會感覺痘痘消失了，可以得到治療的快感、清除痘痘的樂趣。

只是，這樣的療效和痤瘡手術並沒有太大的差別，唯一的差別是：價格狠狠多出了一大半！

通常我會建議患者，與其花這種沒意義的大錢，倒不如把錢存好，日後若是需要治療青春痘的眞疤和假疤，再來進行雷射也不遲，而且這才是得到全世界的皮膚專科醫師認同使用呢！

果酸換膚，換出一張全新好容顏

果酸，是存在於多種天然水果中的有效成分，可以破壞皮膚表皮的不良狀態，長出新生的表皮，讓皮膚得到煥然一新的美麗「變臉」效果。和過去以石碳酸（phenol）、三氯醋酸（Trichloroacetic acid）這種會破壞眞皮的深層換膚大爲不同。目前已知的果酸分爲三大類：Alpha hydroxy acids（α—氫氧基酸），Beta hydroxy acids（B—氫氧基酸），Alpha and beta hydroxy（BF） acids（α，β—氫氧基酸）。

果酸換膚可以顯著改善下列膚況：

1. 治療青春痘。
2. 青春痘疤痕。

3.毛孔粗大。

4.色素沈著：如晒斑、肝斑等。

5.紫外線造成的傷害，如皮膚細紋。

「可是，聽說年輕人使用果酸換膚，皮膚會提前老化？」當我在網路上看到這個問題，心裡不禁一惱：哎，又是一個「聽說」。這種紛擾流言實在很讓專業皮膚科醫師大嘆無奈。現在，一起來總體檢你的果酸換膚知識：

＊糾正你的果酸換膚馬路知識一：皮膚會愈來愈薄?!

如果你有這樣的直覺式思考，那是因爲不夠了解果酸的性格！果酸在使用初期會剝落皮膚的一、兩層老死細胞，讓人發出「咦，皮膚怎麼變薄了」的錯覺，但是在長期使用者的皮膚切片下，反而驗證出皮膚表皮層會稍稍變厚的健康表現。自詡爲新新世代的你，可不要再心存這種阿公阿媽級的觀念了。

＊糾正你的果酸換膚馬路知識二：正在長痘痘不可以用果酸?!

別以爲果酸是用來去疤痕的，只能等到痘痘都消去了才可以使用。事實上，果酸可以剝除毛孔開口處的老死角質，對於正在冒發的痘痘反而更具治療良效！

痘痘藥藏有類固醇？

治青春痘的口服藥物裡含有口服A酸，對肝不好；類固醇成分對腎不好……？關於口服藥物，你有多少誤解？

在治療青春痘的四～六個月路途上，任何外用藥物都阻退不了你治療青春痘的決心，甚至也願意試試價格高昂、療效不明確的市售美容產品。但是，爲何進行到口服藥物的階段，你就怯步了？

目前，治療青春痘最常使用的口服藥物，包含抗生素、口服A酸、荷爾蒙療法等等，都是經過衛生署核准的藥物，只要經過醫師開立服用方式，都是安全無虞的良好處方。儘管如此，每當開藥物給患者，十之八九會得到一句忐忑的問話：「醫師，可不可以不吃藥？」

當然，單純使用外用藥物或是美容手術，同樣也能讓臉部慢慢回復健康狀態。但都只能達到表面功夫。如果沒有徹底清除臉上的細微粉刺，未揪出體內造成青春痘的眞正成因，一旦生活中面臨壓力，青春痘依舊再次蠢蠢欲動。

與其抗拒口服藥物，不如好好認識它們！

痘痘藥會有類固醇嗎？

「醫師，我可不可以只擦外用藥物？」

「怎麼了，你對口服藥物過敏？」

「不是啦，我，我怕藥物含有類固醇……」

看著患者呑呑吐吐地含糊回答，我只能無奈地微笑安慰他：「放心，不管是吃的或是擦的，我們開的治療痘痘藥物絕對不含類固醇！」

類固醇為何令人害怕？

類固醇可以抑制發炎，我們人體也會分泌類似的荷爾蒙來應付身體所需。任何非由病菌感染造成的器官發炎和疾病，都可能應用到類固醇，例如，急性的接觸性皮膚炎。

但是，類固醇對青春痘並不具有療效，使用不當會造成皮膚凹陷、暗沈萎縮、失去光澤、免疫力降低、浮現微血管；長久使用會造成痤瘡桿菌的過度繁殖，讓痘痘愈治愈慘烈，簡直就是隻披著羊皮的狼！

專業的皮膚科醫師一般不會對青春痘患者使用內含類固醇的口服、外用藥物，除非他想拿自己的飯碗和職業道德開玩笑。

治療青春痘的口服藥：抗生素

「可以擦藥，就不要吃藥！」在青春痘門診中，許多患者都會先對醫生來這麼一句「告白」。面對這些對口服藥沒信心的患者，我會爲對方分析治療青春痘的各類選擇、吃藥與否的作用療效。事實上，口服藥物所惹出的問題，都是因爲不了解自己吃了什麼藥，或是因爲吃了過久的藥物，才會吃出問題。

「口服藥物會不會造成抗生素濫用？」這是痘痘族服用口服藥時的一大擔憂。

抗生素可以殺滅人體體內的細菌，我在門診中常常會把抗生素形容爲槍枝，讓大家了解抗生素的存在價值。

槍枝原本是要讓警察和軍人保國衛民使用的，具有正向的功能；一旦槍枝落入歹徒之手，便墮落爲負面價值，這就是槍枝濫用。槍枝本身是中性的，對與錯完全取決於使用的方式。

同樣的道理，抗生素的天職就是對付「細菌」，如果使用在「病毒」引起的感冒、黴菌造成的感染或是其他方面，就是抗生素濫用。國內因爲藥物管制不夠嚴謹，國人只要到藥房就可以取得抗生素，這種隨便把抗生素當健速糖吃的用藥習慣，才是應該被正視的用藥態度。

以抗生素治療痤瘡桿菌（細菌的一種）所引起的青春痘，當然是理所當然。只要經過專業醫師診治，這種治療方式怎可算是濫用？

如果抗生素不能發揮天職殺滅細菌，難道要讓它殺蟑螂、滅蚊子？

治療青春痘的口服藥：口服A酸

「不要說是別人了，有時候連我都會被鏡中的自己給嚇到，半年來我刻意不照鏡子，非不得已，就在陰暗處隨便望一望鏡子就好了。我也不是沒找過醫師，看了一家又一家之後，情況並沒有改善多少。聽說口服A酸是青春痘的救星，可是聽說副作用很多。醫師，你老實說，我的臉還有救嗎？」

望著他的臉，兩頰和下巴布滿星象圖般的點點紅腫粒狀，「當然有救！」我斬釘截鐵告訴他。

只要正確使用口服A酸，就能得到良效！

口服A酸是由維他命A改造來的一種衍生物，自從問世以來，就一直被視爲嚴重的囊腫性青春痘患者的唯一救星！對於長期使用抗生素，痘痘仍然冒個不停的患者，也可以藉著口服A酸而得到顯著改善。必須注意的是，服藥期間嚴格執行避孕。

口服A酸的療效，招招都降伏了青春痘：

1. 有效抑制皮膚皮脂的分泌量。
2. 改善不正常角質堵住毛孔開口的現象。
3. 對抗痤瘡桿菌。
4. 對抗皮膚發炎。

治療青春痘的口服藥：荷爾蒙療法

針對排卵後雄性素會明顯增加的女性，荷爾蒙療法可以改善體內荷爾蒙的失衡狀態，準確根除青春痘問題。

這類女性通常會有下列特徵：

1. 月經前痘痘冒發的特別嚴重。
2. 月經不規則。
3. 青春期時不長痘痘，年過二十五歲反而猛長痘子。
4. 略有男性化特徵，如，臉部多毛，聲音低沉。

有以上特徵的女性青春痘患者，可以藉著荷爾蒙療法得到更顯著的療效，成效遠勝於其他療法。但是，並不是所有人都能從荷爾蒙療法中受益。

不具備上述條件的女性，如果用盡許多方法卻無法根治痘痘問題，荷爾蒙療法可以爲去痘之路揭開一道明光。

不讓歲月吻上你的臉

抗老？那是二十五歲以後要做的事，我現在還年輕，讓我盡情享受青春。

當他微笑時，眼角勾出兩道魚尾紋；認眞思索時，額頭綳出幾槓抬頭紋；凝視電腦螢幕時，眼睛周圍湧出蜿蜒的細紋；一年四季，他的臉總是罩著一層薄薄的油光，面皰不曾失去它的紅腫，臉色從未光采，痘疤和鼻頭上的黑頭粉刺是臉上最明顯的裝飾品……他是一個成熟幹練、事業有成的中階主管，被部屬們私下封爲「最佳黃金單身漢」。對工作付出全部的心力，熬夜加班早已是常態，他完全無法想像竟然有人花錢、花時間關心皮膚這種小事情。浴室裡的保養品非常稀罕，沒有防晒乳，沒有收斂化妝水，沒有保濕乳液，長年擺著一瓶開架品牌的抗痘洗面乳。

如果不是看到了他的身分證，絕對沒有人願意相信，他不過是個三十歲未滿的——年輕人。

肌膚的老化因子

誰是造成皮膚老化的致老兇手？

1.肉眼可見的發炎反應：例如，急性晒傷、感染、皮膚紅腫。

2.肉眼見不到的傷害：紫外線照射就占了八成的比率，再加上抽菸、喝酒過量、壓力（身體及心理層面）、熬夜、皮膚保養不當、營養不均衡等因素。

其中，不知不覺侵入皮膚的無形傷害，傷害程度遠比想像中更爲嚴重。

想維持年輕健康的肌膚，就要避免肌膚受到傷害。任何會造成皮膚發炎的狀況，都會產生具有破壞性的自由基，因而造成皮膚老化。

在日常生活中，必須同時做好防晒，保持良好生活習慣，不抽菸喝酒、不熬夜，保持愉悅的心情，並且攝取均衡的營養，擁有正確的肌膚保養觀念，這些都是缺一不可的抗老方法。

二十五歲前，為肌膚存好健康資產

大家普遍認爲：「抗老，是熟齡肌膚才要做的功課。」這眞是大錯特錯的觀念。

預防肌膚老化，是每個年齡層都該做的事情，好好洗個臉、全面做好防晒就是最好的抗老方法。需要進行「治療」，是因爲肌膚已經老邁到達一個程度，才不得不進行的彌補動作。

每個年齡層的肌膚保養課題，分別如下：

＊十二歲以前的小朋友

保養課題：建立良好生活習慣，防晒，好好洗個臉。

根據統計，國人在飲食上普遍都有油分攝取過多、五穀類和纖維素攝取不足的情況。失衡的飲食習慣容易吃出失調的健康狀況。從小培養優質的飲食習慣，可以幫肌膚存好一輩子的資產。

這個階段的重要課題是，建立正確洗臉方式。指導小朋友洗臉，爲他們挑選溫和不刺激的洗面乳，避免肌膚過於乾燥。當然，防晒更是一定要的！

＊十二至十八歲的青少年

保養課題：適度的洗臉，全面防晒，建立照顧肌膚的正確觀念，培養運動習慣。

青少年容易因爲自恃年輕而輕忽了防晒抗老的重要性，可以用美白目的來誘發他們養成防晒的習慣。青春痘問題是生活中的一大苦惱源，甚至會因爲痘痘而影響自信心，務必引導他們進行正確的治療方式，避免使用道聽塗說的偏方，或是依賴過於刺激的洗面乳。

均衡飲食和運動習慣是維持健康肌膚的根本，當肌膚擁有正常的新陳代謝，臉色當然好起來。

＊十八至二十五歲的成年人

保養課題：防晒、保濕，維持良好生活習慣，學會和壓力和平共處。

在人生道途上，這一階段的你開始學習自己當家！同時面對學業、愛情、事業的壓力，必須學會良好的舒壓方法，否則長期處於壓力鍋裡，肌膚絕對是第一個受害者。乾燥、有細紋的肌膚會誘發肌膚的老化，保濕工作是這階段的重點課題。當肌膚出現臘黃、暗沉等代謝緩慢的狀況，適度去角質可以讓你的臉容光煥發！

二十五歲後，正視肌膚的所有小瑕疵

預防老化，是你不該再逃避的抗老事業！

二十五歲以前的你，如果輕忽了防晒和保養，現在的你得冷靜理性地正視自己的肌膚老化問題。

＊二十五至三十五歲的上班族

保養課題：維持肌膚的基礎保養，預防肌膚不良狀況，早發現早治療。

由於肌膚代謝漸趨緩慢，在例行的基礎保養之外，可選用添加抗氧化劑及抗老化劑（果酸、維他命A外用衍生劑，尤其是維他命C）的保養品，對於預防老化、恢復肌膚彈性有很大的效用，讓肌膚正常代謝，更能治療肌膚細紋！

＊三十五歲以上的熟齡肌膚

此刻，肌膚老化已經是刻不容緩！除了積極抗老，更要好好認清自己的肌膚問題：

1.如果有斑斑點點：請專業醫師爲你解讀斑點的種類，找到最具良效的雷射或藥物方法去除。

2.如果有細紋或皺紋：依嚴重程度，建議使用外用維他命C、A酸、果酸，或維他命C導入、果酸換膚、脈衝光、肉毒桿菌的注射，成效卓著。

3.如果有肌膚鬆弛：高濃度的維他命C、維他命C導入、脈衝光，可以幫助肌膚緊實，回復臉部的自然彈性。

治療老化的外用保養品大多含有高濃度的有效成分，對肌膚略有刺激性，必須經由醫師診斷及開立處方再購買，才能獲得保障。

抗氧化物是抗老聖品?!

根據醫學研究，當肌膚受到內在、外在傷害時，會產生過多的自由基，這種極不穩定的電子會攻擊我們的細胞和組織，造成細胞受損、人體老化。

阻止自由基的最大利器是抗氧化物，可避免細胞受損、阻止肌膚老化。維他命C、綠茶萃取物、茄紅素、葡萄多酚等都是知名抗氧化物，在日常生活中，蔬菜水果和綠茶就可以讓你以平民級的消費，得到高營養價值的抗氧化物。

抗氧化物必須經過日積月累的使用過程才能見效，而且只能提供預防，無法真正治療肌膚的老化問題，更不可能提供回春的神效。就算使用了再多的抗氧化物，防曬動作仍然不可省略。陽光是人體肌膚產生自由基的罪魁禍首，防曬是減少自由基的一大法門。如果不做防曬，想單靠抗氧化物來對付陽光，結局只是事倍功半。

建議你：

1. 先做好防曬。
2. 補充足夠的蔬果。
3. 經濟許可，再使用添加含抗氧化物的保養品。

把錢花在刀口上，才能得到經濟實惠的肌膚抗老效果！

選對保養品，正確抗老化！

1.Castalia 極緻除皺精華霜

特別適合：老化肌膚

針對老化肌膚、膚色暗沉、明顯皺紋所設計的修護產品，含有A醇、AHA、Q10、VIT C等完整的抗老化配方，可以促進細胞活性，勻亮膚色增添透明感，加強血管循環和新陳代謝。果酸成分可以促進角質收縮毛孔、改善肌膚光澤。

2.杜克左旋C強效精華液C＋E

特別適合：老化肌膚

一般認為水溶性維他命C無法和脂性維他命E結合使用，但是這款抗老產品的專利技術卻成功將它們結合為一個超級抗氧化製劑，可以協助改善皮膚已出現的老化症狀，比單獨使用維他命C或維他命E具有更大的紫外線防護作用。非常適合需要長期曝晒日光下的工作者，或是細紋、皺紋、魚尾紋明顯者，色素過度沈著或是有黑色素斑點的人使用。

3.DCL維他命A緊緻霜

特別適合：任何膚質

含豐富的維他命A衍生物，質地柔細，能夠細緻肌膚的紋理，抗氧化，預防細胞組織老化，是一款極佳的抗老化產品。

別讓錯誤的保養品，壞了你的臉色

誰是敏感性肌膚？容易長痘痘、容易發紅、容易有搔癢感的就是嗎？

你的肌膚真的很敏感嗎？

向你的朋友們做個市調：誰是敏感性肌膚？我相信，會有六到七成的女性朋友舉起手，嘆著氣：哎，我就是那個麻煩的敏感性肌膚。

但仔細瞧瞧這些人的肌膚，會發現他們的肌膚狀況各有不同的表情，有的又油又乾，有的乾燥到嚴重脫皮，有的看起來很健康卻三不五時長些小顆粒……，儘管他們已經乖乖使用敏感性肌膚產品了，又不見得適用。難道他們並不是眞正的敏感肌膚？這又是一個定義不清所導致的矛盾點。

在美容化妝品界，只要經常對化妝保養品產生不合用的膚質，就稱爲敏感性肌膚。國人對化妝保養品的知識過於薄弱，往往只能聽憑銷售人員和包裝文宣的片面之詞，幾乎沒有自己的判斷力，一旦銷售人員不夠專業，或是不清楚你平常使用保養品的習慣，就很容易使用了不適合自己的保養品，或是造成多重刺激的保養步驟，而讓肌膚大喊吃不消。如果因爲這類人爲因素，就被輕率地歸屬爲敏感性肌膚，實在有欠專業！

你眞的是敏感性肌膚？或者，只是被銷售人員以錯誤的方式，引導你進入錯誤的敏感性肌膚保養程序裡？

按照皮膚醫學的分類，你的敏感性肌膚可能是下面這五大類：

＊刺激物所導致

多數敏感型肌膚者都是這一類，他們並不是眞正屬於敏感性肌膚，而是因爲同時使用了太多刺激性的物品，例如，同時使用太多治療青春痘產品的痘痘族，或是使用了太強效的去角質產品。

建議你：

❶好好檢視自己的保養品。

❷不要一次使用過多的有效成分，應採用逐步添加的方式。例如，使用果酸產品時，洗臉和保濕產品應使用低敏感性，或是敏感性肌膚使用的產品。

❸待肌膚適應一段時間後，再逐步添加去角質、美白、或是除皺類的產品。

＊皮膚比較乾燥

「乾敏」性肌膚的油脂較少、角質層較薄，可說是人人欽羨的美膚族。但是這樣的肌膚就像是一個備受疼惜的瓷娃娃，禁不住太繁複、太過度的照顧。

建議你：

❶不適合一次購買一整組的產品。

❷加強日常保濕工作。

❸減少使用去角質和收斂產品。

❹肌膚狀況佳時，才可以使用添加活性有效成分的產品，而且要逐步添加。

＊脂漏性皮膚炎

雖然是油性肌膚，但是兩眉、鼻翼和兩頰時常有脫皮的現象，這種「又乾又油的肌膚」也可稱爲「油水不平衡」的肌膚。

建議你：

❶使用低敏感性的洗面乳，可以避免病況加重。

❷出現皮膚病症狀時，應該請皮膚科醫師予以治療，否則再多的保養工作都難以見效。

＊酒糟體質

像個蘋果臉般，鼻子或兩頰常有發紅的現象，而且會有一些明顯的血絲。

建議你：

❶使用低敏感性的洗面乳，可以避免病況加重。

❷出現皮膚病症狀時，應該請皮膚科醫師予以治療，否則再多的保養工作都難以見效。

＊香精過敏

肌膚本身其實相當的健康，但是對於化妝品中的香精、防腐劑等等化學物質常出現過敏情形。

建議你：

❶選擇化妝保養品時慎選不含香精（no fragrance/fragrance/fragrance-free）、防腐劑（no preservative/preservative/preservative-free）的產品。

❷如果仍然無法解決過敏問題，可以到醫院做「貼膚試驗」，找出你的過敏原。

先搞清楚、分明白導致肌膚過敏的原因，不分青紅皂白就使用敏感性肌膚的保養品，並不能幫上忙，不過是白白丟了銀子而已！

活性有效成分能夠改善肌膚老化、青春痘、皮膚暗沈黝黑、斑點、肌膚過乾或過油的不正常代謝問題，可以讓皮膚得到明顯的助益，但是它們或多或少都含有一些刺激性。只要聽到別人介紹：「使用這個產品之後，皮膚眞的變好了」，通常表示這個產品一定含有活性有效成分。

然而，當敏感性肌膚使用這類產品時，卻絲毫無法領略其中的好處，肌膚只感覺到刺與痛、紅腫與搔癢的不舒服感。

目前市面上標榜敏感性肌膚使用的產品，大多有下列特性：

1.不含香精，少用防腐劑等等容易導致過敏的成分。

2.不含去角質、美白、抗老、除皺、去油、去痘、收斂等等成分的產品。

3.在產品中添加可以溫和降低皮膚發紅的成分，如甘菊萃取物 chamomile extract、矢車菊萃取物 cornflower extract、甘草精萃取物 icorice extract、stearyl glycyrrhetinate、bisabolol、dipotassium glycyrrhizinate、azulene，或是一些脂質。

敏感性肌膚產品也同樣適合這兩種狀況：

1.果酸換膚或雷射之後的脆弱肌膚。

2.使用高濃度活性有效成分時，搭配敏感性肌膚的產品可減少刺激度。

曾經有人遺憾地說：「敏感性肌膚的保養品，就是什麼好料都沒有」，其實，才不呢！我要再次提醒大家：保養品沒有對或錯，只要是適合自己的產品，就是最好的保養品！

輕鬆美膚術

選對產品，好好照顧你的敏感肌膚！

1.妮新（NEO-TEC）高效潤膚凝露

高濃度的玻尿酸可以瞬間提升肌膚的保水能力，維持肌膚彈性。山梨醇、維他命B5、維他命B2、維他命B1化合物、泛酸等成分，供給皮膚細胞營養，促進生長代謝，緩和皮膚發炎現象，讓肌膚呈現絲絨般的細緻觸感。清爽無油配方，適合各種膚質使用，尤其可以幫助青春痘、油性肌膚回復正常膚況。

2.雅漾自律保濕滋養霜

含有五十七%雅漾活泉水，不含香料、防腐劑、界面活性劑，所有成分都經過滅菌處理，大大減低肌膚過敏反應，可以重建修護肌膚、舒緩、保養肌膚，提供高敏感肌膚極佳的滋潤。

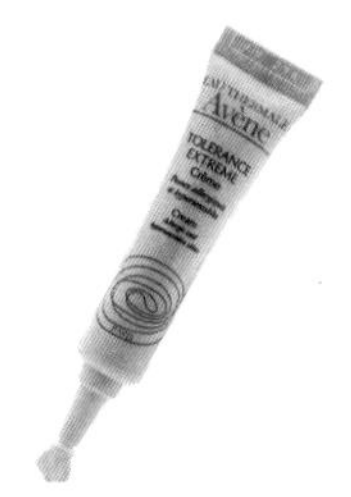

3.舒特膚溫和潔膚乳

不含皂，不含香料，不含鹼，不會引起粉刺，不引起乾燥；可形成天然保護膜；減少表皮細菌，保護受傷皮膚避免進一步傷害；可潤濕受傷皮膚，使其較感舒適，並降低皮膚發癢；適用於治療粉刺或因化妝品、不良清潔用品引起之皮膚乾燥或脆弱肌膚。

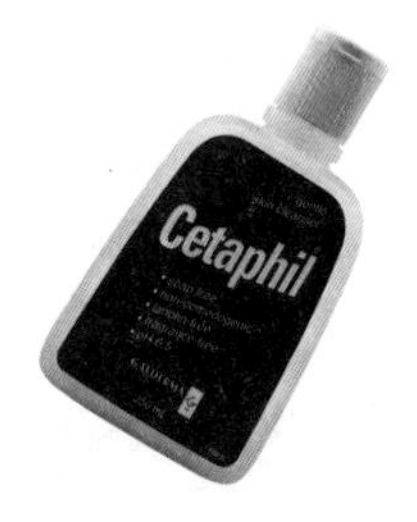

4.護蕾極護肌膚保濕乳霜

含有極高量的凡士林與甘油，可以為肌膚快速形成隱型的保護層，提供深層的保護，保濕滋潤度相當高，特別適合乾燥肌膚，讓正在接受果酸或A酸治療的皮膚，得到足夠的滋潤。

國家圖書館出版品預行編目資料

我要一年四季晶瑩剔透：知名皮膚科醫師教你正確保養肌膚／陳衍良，賴碧芬合著；-- 初版. --
臺北市：如何，2004〔民93〕
面；公分. --（Happy Body；42）

ISBN 986-136-005-0（平裝）

1. 皮膚-保養　2. 美容

424.3　93003222

The Eurasian Publishing Group
圓神出版事業機構
用心與你對話・視野無限寬廣
如何出版社
Solutions Publishing

http://www.booklife.com.tw　inquiries@mail.eurasian.com.tw

HAPPY BODY 042

我要一年四季晶瑩剔透：知名皮膚科醫師教你正確保養肌膚

作　　者／陳衍良・賴碧芬
文字協力／蕭士美
發 行 人／簡志忠
出 版 者／如何出版社有限公司
地　　址／台北市南京東路四段50號11樓之1
電　　話／（02）2579-6600（代表號）
傳　　真／（02）2579-0338・2577-3220
郵撥帳號／19423086　如何出版社有限公司
副總編輯／陳秋月
主　　編／曾慧雪
責任編輯／李靜雯
企劃編輯／賴真真
美術編輯／金益健
印製統籌／林永潔
監　　印／高榮祥
校　　對／陳衍良・賴碧芬・李靜雯・張雅慧
排　　版／杜易蓉
圓神出版事業機構法律顧問／蕭雄淋律師
總 經 銷／叩應有限公司
印　　刷／龍岡彩色印刷公司

2004年4月　初版
2005年8月　12刷

定價 270元　ISBN 986-136-005-0

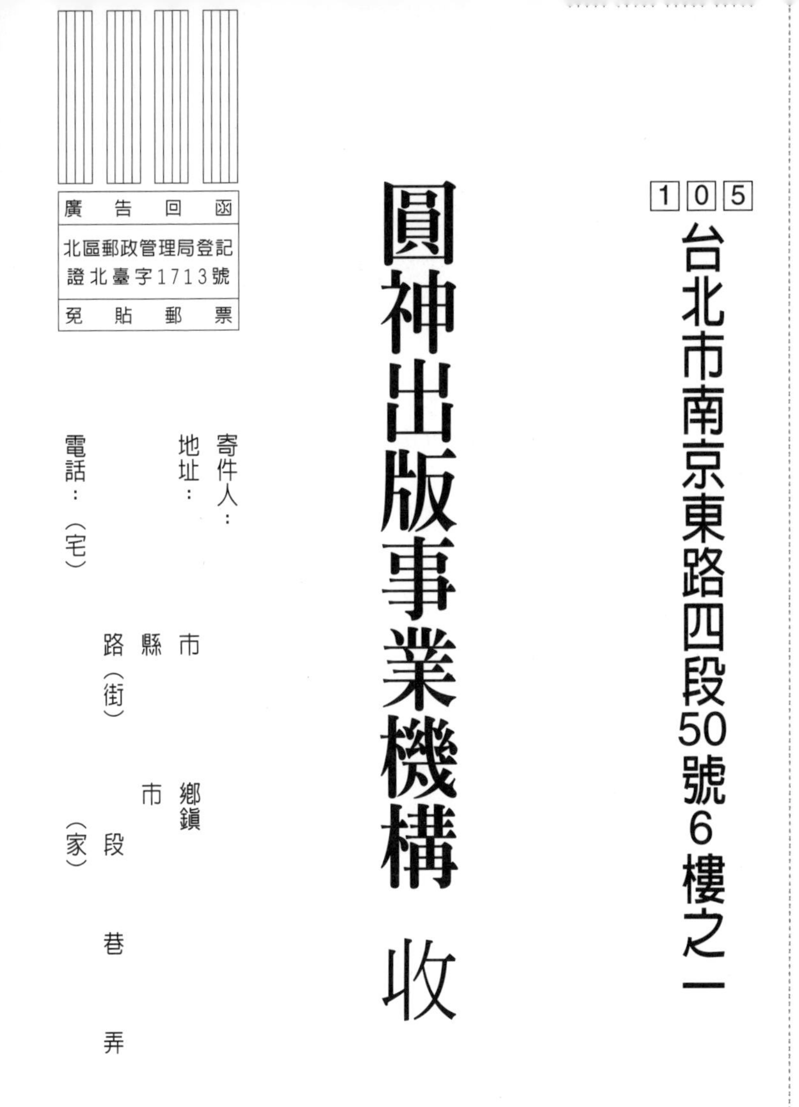

105
台北市南京東路四段50號6樓之一

圓神出版事業機構 收

寄件人：
地址：　　市　鄉鎮
　　　　　縣　市
　　　　　路（街）　段　巷　弄　號　樓
電話：（宅）　　（家）

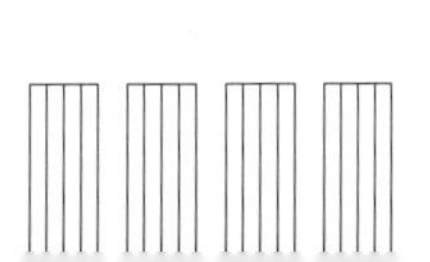